Bolos
e outras delícias
PASSO A PASSO

Bolos
e outras delícias
PASSO A PASSO

Caroline Bretherton

PUBLIFOLHA

DK | Penguin Random House

www.dk.com

Título original: *Step-by-step cakes*

Publicado originalmente na Grã-Bretanha em 2012 pela Dorling Kindersley Limited, 80 Strand, Londres WC2R 0RL, Inglaterra, uma empresa da Penguin Random House.

COORDENAÇÃO DO PROJETO: PUBLIFOLHA
Editor-assistente Thiago Barbalho
Coordenadora de produção gráfica Mariana Metidieri
Produtora gráfica Samantha R. Monteiro

PRODUÇÃO EDITORIAL: AA STUDIO
Coordenação e edição Ana Luisa Astiz
Editoração eletrônica Paula Astiz Design
Tradução Isabela Benseñor, Mario Bresighello
Preparação Beth Ardions, Marília Mendes
Revisão Alexandra Fonseca, Beth Ardions, Juliana Caldas
Consultoria Márcia Gowdak

EDIÇÃO ORIGINAL: DORLING KINDERSLEY
Editor-assistente David Fentiman
Editor sênior Alastair Laing
Editora de arte do projeto Kathryn Wilding
Editora sênior de arte Sara Robin
Gerente editorial Dawn Henderson
Gerente de arte Christine Keilty
Criação de capa Nicola Powling
Editora de produção Siu Chan
Controller de produção Claire Pearson
Suporte técnico de criação Sonia Charbonnier
Fotografia Howard Shooter, Michael Hart

DK ÍNDIA
Editora-assistente Ekta Sharma
Designer Prashant Kumar
Gerente editorial Glenda Fernandes
Gerente de arte Navidita Thapa
Gerente de produção gráfica Sunil Sharma
Produtor gráfico Rajdeep Singh

Dados Internacionais de Catalogação na Publicação (CIP)
(Câmara Brasileira do Livro, SP, Brasil)

Bretherton, Caroline
Bolos e outras delícias passo a passo / Caroline Bretherton ; [tradução Isabela Benseñor e Mario Bresighello]. – São Paulo : Publifolha, 2015.

1ª reimpr. da 1ª ed. de 2013.
Título original: Step-by-step cakes.
ISBN 978-85-7914-434-9

1. Bolos (Culinária) 2. Culinária (Receitas) I. Título.

13-00994 CDD-641.8653

Índices para catálogo sistemático:
1. Bolos : Receitas : Culinária : Economia doméstica 641.8653

Este livro segue as regras do Acordo Ortográfico da Língua Portuguesa (1990), em vigor desde 1º de janeiro de 2009.

Impresso na Hung Hing, China.

PUBLIFOLHA
Divisão de Publicações do Grupo Folha
Al. Barão de Limeira, 401, 6º andar
CEP 01202-900, São Paulo, SP
Tel.: (11) 3224-2186/2187/2197
www.publifolha.com.br

NOTA DO EDITOR
As receitas de *Bolos e outras delícias passo a passo* foram extraídas do livro *Do forno para a mesa* (Publifolha, 2012). Pessoas com restrições alimentares, grávidas e lactantes devem consultar um médico especialista sobre os ingredientes de cada receita antes de prepará-la. As fotos deste livro podem conter acompanhamentos ou ingredientes meramente ilustrativos.

Sumário

Para quem adora chocolate

Bolo de chocolate de três andares
p. 42

15 MIN · 30-35 MIN

Brownie de chocolate e avelã p. 182

25 MIN · 12-15 MIN

Bolo de chocolate e castanha-do-pará p. 38

25 MIN · 45-50 MIN

Bolo de chocolate e ameixa
p. 70

30 MIN · 40-45 MIN

Bolo de chocolate recheado
p. 40

30 MIN · 20-25 MIN

Bolo Floresta Negra
p. 80

55 MIN · 40 MIN

Bolo de chocolate e pera
p. 43

15 MIN · 30 MIN

Brownie de ginja e chocolate p. 186

15 MIN · 20-25 MIN

Bolo fudge de chocolate
p. 46

40 MIN | 30 MIN

Torta musse de chocolate
p. 48

20 MIN | 1H

Rocambole de amaretto e chocolate p. 78

25-30 MIN | 20 MIN

Rocambole de castanha e chocolate p. 76

50-55 MIN | 5-7 MIN

Cupcake de chocolate
p. 100

20 MIN | 20-25 MIN

Cake ball de chocolate
p. 104

35 MIN | 25 MIN

Mil-folhas de chocolate
p. 92

2H | 25-30 MIN

Petit gâteau
p. 114

20 MIN | 5-15 MIN

Feitos com frutas

Bolo virado de mirtilo
p. 56
15 MIN · 40 MIN

Bolo de cereja e amêndoa
p. 57
20 MIN · 1H30-1H45

Flapjack de cereja
p. 180
15 MIN · 25 MIN

Bolo de frutas secas
p. 66
25 MIN · 2H30

Bolo leve de frutas
p. 71
25 MIN · 1H45

Bolo de Natal
p. 72
45 MIN · 8-10 HORAS

Angel food cake
p. 20
30 MIN · 35-45 MIN

Génoise com framboesa e chantili p. 22
30 MIN · 25-30 MIN

Bolo de limão-siciliano e fubá
p. 36
30 MIN · 50-60 MIN

Muffin de limão-siciliano e mirtilo
p. 116

20-25 MIN 15-20 MIN

Torta alemã de maçã
p. 50

30 MIN 45-50 MIN

Torta bávara de ameixa
p. 58

35-40 MIN 50-55 MIN

Bolo de banana
p. 60

20-25 MIN 35-40 MIN

Merengue com creme de framboesa p. 134

10 MIN 1H

Mil-folhas de frutas vermelhas p. 93

2H 25-30 MIN

Macaron de morango e creme p. 158

30 MIN 18-20 MIN

Shortcake de morango
p. 125

15-20 MIN 12-15 MIN

Para encantar as crianças

Cupcake com creme de baunilha p. 96

20 MIN | 20-25 MIN

Minibolo fondant p. 102

20-25 MIN | 25 MIN

Biscoito de gengibre p. 148

20 MIN | 10-12 MIN

Whoopie pie p. 108

40 MIN | 12 MIN

Whoopie pie de baunilha e morango p. 113

40 MIN | 12 MIN

Muffin de maçã p. 119

10 MIN | 20-25 MIN

Cookie de aveia, avelã e uva-passa p. 140

20 MIN | 10-15 MIN

Cookie de chocolate branco e macadâmia p. 143

25 MIN | 10-15 MIN

Bolo de cenoura e especiarias p. 33

20 MIN | 30 MIN

Cupcake de chocolate p. 100

20 MIN | 20-25 MIN

Para fazer rápido

Madeleine 15-20 MIN / 10 MIN
p. 120

Bolinho galês 20 MIN / 16-24 MIN
p. 126

Biscoito sueco de especiarias 20 MIN / 10 MIN
p. 150

Canestrelli 20 MIN / 15-17 MIN
p. 152

Rocambole 20 MIN / 12-15 MIN
p. 24

Cookie de aveia, cranberry e pistache p. 142 20 MIN / 10-15 MIN

Almendrado 10 MIN / 12-15 MIN
p. 154

Estrelas de canela 20 MIN / 12-15 MIN
p. 151

Petit gâteau 20 MIN / 5-15 MIN
p. 114

Muffin de chocolate 10 MIN / 15 MIN
p. 118

bolos clássicos

Pão de ló vitória

Um dos mais famosos bolos da Grã-Bretanha, um bom Victoria deve ser alto, macio e ter a massa levíssima.

6-8 PORÇÕES | 30 MIN | 20-25 MIN | 4 SEM, S/ RECHEIO

Utensílios

2 fôrmas redondas de 18 cm

Ingredientes

175 g de manteiga sem sal em temperatura ambiente, mais um pouco para untar
175 g de açúcar
3 ovos
1 colher (chá) de extrato de baunilha
175 g de farinha de trigo com fermento
1 colher (chá) de fermento em pó

Recheio

50 g de manteiga sem sal em temperatura ambiente
100 g de açúcar de confeiteiro, mais um pouco para polvilhar
1 colher (chá) de extrato de baunilha
115 g de geleia de amoras sem sementes de boa qualidade

1 Preaqueça o forno a 180°C. Unte as fôrmas e depois forre-as com papel-manteiga.

2 Bata a manteiga e o açúcar por 2 minutos ou até que a mistura fique clara e leve.

3 Adicione os ovos, um por vez, batendo bem depois de cada adição para evitar que talhe.

4 Adicione a baunilha e bata um pouco para incorporá-la à mistura.

5 Bata por mais 2 minutos até que bolhas apareçam na superfície.

6 Acrescente a farinha e o fermento peneirados.

7 Com uma colher de metal, mexa até a mistura ficar uniforme; tente mantê-la leve.

8 Divida a massa em duas partes iguais, coloque-as nas fôrmas e nivele as superfícies.

9 Asse por 20-25 minutos ou até que os bolos dourem e fiquem macios ao toque.

10 Insira um espeto ou palito para ver se estão prontos. Se sair limpo, estão assados.

11 Desenforme os bolos, retire o papel e deixe esfriar em uma grade.

12 Recheio: bata a manteiga, o açúcar de confeiteiro e a baunilha.

13 Vire um dos bolos em um prato grande e espalhe o recheio sobre o lado plano.

14 Espalhe uma farta camada de geleia sobre o recheio.

15 Cubra com o outro bolo, juntando as partes planas. Polvilhe açúcar de confeiteiro.

GUARDE O bolo recheado pode ser armazenado em recipiente hermético por até 2 dias.
PREPARE ANTES Sem recheio, o pão de ló dura até 3 dias.

Variações de Pão de ló vitória

Bolo de café e nozes

Uma fatia desse bolo é o acompanhamento perfeito para o café da manhã. A receita apresentada aqui é feita em uma fôrma menor que a do clássico vitória, para o bolo ficar mais alto e impactante.

8 PORÇÕES | 20 MIN | 20-25 MIN | 8 SEM, S/ RECHEIO

Utensílios
2 fôrmas redondas de 17 cm

Ingredientes
175 g de manteiga sem sal em temperatura ambiente, mais um pouco para untar
175 g de açúcar demerara
3 ovos
1 colher (chá) de extrato de baunilha
175 g de farinha de trigo com fermento
1 colher (chá) de fermento em pó
1 colher (sopa) de café coado e frio

Recheio e cobertura
100 g de manteiga sem sal em temperatura ambiente
200 g de açúcar de confeiteiro
9 metades de nozes

Preparo

1 Preaqueça o forno a 180°C. Unte as fôrmas e forre os fundos e os lados com papel-manteiga. Bata a manteiga e o açúcar na batedeira até obter uma mistura leve e cremosa.

2 Adicione os ovos, um por vez, batendo bem depois de cada adição. Acrescente a baunilha e bata por mais 2 minutos até que bolhas apareçam na superfície. Acrescente a farinha e o fermento peneirados. Misture delicadamente e acrescente meia colher de café frio. Incorpore.

3 Divida a massa em duas partes iguais, coloque-as nas fôrmas e nivele as superfícies com uma espátula.

4 Asse por 20-25 minutos ou até que os bolos dourem e fiquem macios ao toque. Faça o teste: insira um palito para ver se já estão prontos; se sair limpo, tire-os do forno. Deixe os bolos nas fôrmas por alguns minutos. Desenforme-os, tire o papel e coloque-os sobre uma grade para esfriar.

5 Recheio e cobertura: com uma colher de pau, bata a manteiga e o açúcar de confeiteiro até uniformizar. Adicione o restante do café e incorpore. Espalhe uma parte do creme sobre a parte plana de um dos bolos e depois cubra com o outro; espalhe sobre este o restante da cobertura. Decore com as nozes.

GUARDE O bolo pode ser armazenado em em recipiente hermético por até 3 dias.

Bolo madeira

Aqui destacam-se os sabores do limão-siciliano e da manteiga.

8-10 PORÇÕES | 20 MIN | 50-60 MIN | 8 SEM

Utensílio
1 fôrma redonda de 18 cm e fundo removível

Ingredientes
175 g de manteiga sem sal em temperatura ambiente, mais um pouco para untar
175 g de açúcar
3 ovos
225 g de farinha de trigo com fermento
raspas bem finas da casca de 1 limão-siciliano

Preparo

1 Preaqueça o forno a 180°C. Unte as fôrmas e forre os fundos e os lados com papel-manteiga.

2 Bata a manteiga e o açúcar na batedeira por cerca de 2 minutos, até obter uma mistura leve e cremosa. Adicione os ovos, um por vez, batendo bem depois de cada adição.

3 Bata por 2 minutos, até que bolhas apareçam na superfície. Adicione a farinha peneirada e as raspas de limão-siciliano. Incorpore delicadamente até obter uma massa lisa.

4 Coloque a massa na fôrma. Asse por 50 minutos a 1 hora, ou até que, espetando um palito, ele saia seco. Deixe o bolo na fôrma por alguns minutos, depois coloque-o sobre uma grade para esfriar. Remova o papel-manteiga.

GUARDE O bolo pode ser armazenado em recipiente hermético por até 3 dias.

DICA DA AUTORA

O segredo para obter um vitória leve é acrescentar a farinha cuidadosamente, para que a mistura não perca o ar. Para um bolo ainda mais delicado, use margarina. A maior quantidade de água em sua composição contribui para aumentar o ar na massa – mas a manteiga o deixa mais saboroso!

Bolo mármore

Divida a massa em duas partes e acrescente cacau a uma delas antes de misturá-las: o resultado é um incrível efeito mármore.

8-10 PORÇÕES | 25 MIN | 45-50 MIN | 8 SEM

Utensílio
1 fôrma para bolo inglês de 900 g

Ingredientes
175 g de manteiga sem sal em temperatura ambiente, mais um pouco para untar
175 g de açúcar
3 ovos
1 colher (chá) de extrato de baunilha
150 g de farinha de trigo com fermento
1 colher (chá) de fermento em pó
25 g de cacau em pó

Preparo

1 Preaqueça o forno a 180°C. Unte a fôrma e forre o fundo com papel-manteiga.

2 Bata a manteiga com o açúcar na batedeira em velocidade média por 2 minutos até obter uma mistura leve e cremosa. Acrescente os ovos, um por vez, batendo bem depois de cada adição. Adicione a baunilha e bata por 2 minutos até que bolhas apareçam na superfície. Peneire a farinha e o fermento sobre a massa.

3 Divida a massa em duas tigelas, em quantidades iguais. Peneire o cacau sobre uma delas e misture delicadamente. Despeje a massa branca na fôrma e, por cima dela, a massa com cacau. Usando uma faca, faça movimentos circulares com cuidado para não misturá-las demais. O movimento dará o efeito mármore.

4 Asse por 45-50 minutos ou até que, ao inserir um palito, ele saia seco. Deixe esfriar e depois coloque o bolo em uma grade. Remova o papel-manteiga.

GUARDE O bolo pode ser armazenado em recipiente hermético por até 3 dias.

Angel food cake

Esse clássico norte-americano é assim denominado ("bolo-alimento dos anjos") por conta de sua levíssima massa branca.

8-12 PORÇÕES | 30 MIN | 35-45 MIN

Utensílios
1 fôrma redonda de 25 cm e furo no meio
termômetro para açúcar
1 pincel

Ingredientes
manteiga para untar
150 g de farinha de trigo
100 g de açúcar de confeiteiro
8 claras (reserve as gemas para cremes e recheios de tortas)
uma pitada de cremor tártaro
250 g de açúcar
gotas de extrato de amêndoa ou baunilha

Cobertura
150 g de açúcar
2 claras
morangos (cortados ao meio), mirtilos e framboesas, para decorar
açúcar de confeiteiro, para polvilhar

Preparo

1 Preaqueça o forno a 180°C. Derreta a manteiga em uma panela pequena e use-a para untar generosamente com um pincel a fôrma do bolo. Peneire a farinha e o açúcar de confeiteiro em uma tigela e reserve (veja a Dica da Autora).

2 Bata as claras com o cremor tártaro até ficarem firmes. Sem parar de bater, adicione o açúcar, 1 colher (sopa) de cada vez. Depois de incorporado o açúcar, pare de bater, acrescente a farinha peneirada com o açúcar de confeiteiro e o extrato de amêndoas ou de baunilha. Misture delicadamente.

3 Despeje a massa na fôrma até a borda e nivele a superfície com uma espátula. Asse por 35-45 minutos ou até ficar firme.

4 Cuidadosamente, retire o bolo do forno e vire-o sobre uma grade. Deixe esfriar assim e depois retire a fôrma.

5 Cobertura: coloque o açúcar em uma panela com 4 colheres (sopa) de água. Aqueça, mexendo sempre, até que o açúcar dissolva. Ferva até a calda alcançar a consistência de bola mole (entre 114°C-118°C), ou seja, até que a calda, quando colocada em água fria, forme uma esfera.

6 Enquanto isso, bata as claras até ficarem firmes. À medida que a calda alcança a temperatura correta, mergulhe o fundo da panela em água fria para impedir que ela chegue a uma temperatura mais alta. Despeje a calda nas claras sem parar de bater, vagarosamente, deixando cair um fio fino da panela no centro da tigela. Bata por mais 5 minutos até que picos firmes comecem a se formar.

7 Rapidamente, para evitar que a cobertura endureça, espalhe-a com uma espátula por toda a superfície do bolo, fazendo movimentos para criar textura. Decore com morangos, mirtilos e framboesas e, por fim, polvilhe açúcar de confeiteiro com uma peneira fina.

DICA DA AUTORA
Peneirar a farinha duas vezes deixa o bolo mais leve. Para obter resultados ainda melhores, tente aumentar a distância entre a peneira e a tigela, fazendo com que a farinha entre em contato com a maior quantidade possível de ar ao cair na tigela.

Génoise com framboesa e chantili

Esse bolo delicado é uma sobremesa memorável e também pode se tornar a atração principal do chá da tarde em um dia ensolarado de verão.

8-10 PORÇÕES | 30 MIN | 25-30 MIN | 4 SEM, S/ RECHEIO

Utensílio
1 fôrma de 20 cm e fundo removível

Ingredientes
40 g de manteiga sem sal, mais um pouco para untar
4 ovos grandes
125 g de açúcar
125 g de farinha de trigo
1 colher (chá) de extrato de baunilha
raspas bem finas de 1 limão-siciliano
75 g de framboesa, para decorar (opcional)

Recheio
450 ml de creme de leite fresco
325 g de framboesa
1 colher (sopa) de açúcar de confeiteiro, mais um pouco para polvilhar

Preparo

1 Derreta a manteiga e reserve. Preaqueça o forno a 180°C. Unte a fôrma e forre o fundo com papel-manteiga.

2 Leve ao fogo uma panela com água e deixe ferver. Retire-a do fogo e ponha uma tigela refratária sobre ela. Coloque os ovos e o açúcar e, com a batedeira, bata por 5 minutos até que, ao levantar os batedores, a massa forme um fio grosso; a mistura aumenta quase cinco vezes de volume. Retire a tigela refratária da panela e bata por mais 1 minuto, para esfriar.

3 Peneire a farinha sobre a massa e misture cuidadosamente. Acrescente a baunilha, as raspas de limão-siciliano e a manteiga derretida, incorporando-os à massa delicadamente.

4 Despeje a massa na fôrma e asse por 25-30 minutos ou até ficar macia e levemente dourada. Faça o teste do palito.

5 Deixe o bolo na fôrma por alguns minutos e depois desenforme sobre uma grade para esfriar completamente. Retire o papel.

6 Quando o bolo estiver frio, corte-o em três discos da mesma espessura com uma faca para pão.

7 Recheio: bata o creme de leite até ficar firme. Com um garfo, amasse ligeiramente as framboesas com o açúcar de confeiteiro, escorra o suco, acrescente ao creme de leite batido e misture delicadamente.

8 Coloque o primeiro disco sobre um prato de servir e espalhe metade do recheio. Cubra com o segundo disco, espalhe o restante do recheio e, em seguida, coloque o terceiro disco. Se preferir, decore com framboesas e polvilhe açúcar de confeiteiro sobre o último disco. Sirva imediatamente.

PREPARE ANTES A génoise pode ser armazenada por até 1 dia em recipiente hermético antes de ser cortada e recheada.

DICA DA AUTORA

Nesse clássico da cozinha italiana, a manteiga é empregada na receita para proporcionar mais sabor. É um bolo que pode ser recheado com o que você quiser. Porém, não dura mais do que 24 horas depois de pronto por causa da ausência de gordura na massa.

GÊNOISE COM FRAMBOESA E CHANTILI

Rocambole

Há um truque para fazer um bom rocambole – siga esses passos e o seu sairá perfeito!

8-10 PORÇÕES | 20 MIN | 12-15 MIN | 8 SEM

Utensílio

1 fôrma de 32,5 cm x 23 cm

Ingredientes

3 ovos grandes
100 g de açúcar, mais um pouco para polvilhar
uma pitada de sal
75 g de farinha de trigo com fermento
1 colher (chá) de extrato de baunilha

Recheio

6 colheres (sopa) de geleia de framboesa (ou outra de sua preferência, ou creme de chocolate e avelã)

1 Preaqueça o forno a 200°C. Forre o fundo da fôrma com papel-manteiga.

2 Ponha uma tigela sobre uma panela com água fervente, sem que ela toque a água.

3 Coloque os ovos, o açúcar e o sal e bata por 5 minutos até a mistura ficar espessa.

4 Faça o teste: a massa que cai dos batedores deve ficar na superfície por alguns segundos.

5 Coloque a tigela sobre uma superfície de trabalho. Bata por 1-2 minutos até que esfrie.

6 Peneire a farinha sobre a massa, adicione a baunilha e misture delicadamente.

7 Despeje a massa na fôrma; depois nivele a superfície com uma espátula.

8 Leve ao forno preaquecido por 12-15 minutos ou até ficar firme ao toque.

9 Veja se o bolo soltou um pouco dos lados: isso significa que está pronto.

10 Polvilhe o açúcar em uma folha de papel--manteiga até formar uma camada fina.

11 Desenforme o bolo sobre o papel.

12 Deixe esfriar por 5 minutos e retire cuidadosamente o papel-manteiga.

13 Recheio: se a geleia estiver difícil de espalhar, aqueça-a em uma panela pequena.

14 Com uma espátula, espalhe a geleia em toda a superfície do bolo.

15 Use o lado cego da faca e faça um leve corte no lado menor, a 2 cm da borda.

16 Use o corte como marca e enrole com cuidado, com o auxílio do papel-manteiga.

17 Use o papel-manteiga para manter o bolo enrolado. Deixe esfriar.

18 Remova o papel e coloque o rocambole em um prato. Polvilhe açúcar e sirva.
GUARDE O rocambole pode ser armazenado em recipiente hermético por até 2 dias.

Variações de Rocambole

Rocambole de laranja e pistache

O sabor suave dos pistaches e o perfume da laranja dão um toque mais moderno à receita clássica do rocambole. Pode ser servido em porções individuais, o que o torna uma sobremesa ideal para grandes festas.

8 PORÇÕES | 20 MIN | 12-15 MIN | 8 SEM, S/ RECHEIO

Utensílio
1 fôrma de 32,5 cm x 23 cm

Ingredientes
3 ovos grandes
100 g de açúcar, mais um pouco para polvilhar
uma pitada de sal
75 g de farinha de trigo com fermento
raspas de 2 laranjas, e 3 colheres (sopa) do suco
2 colheres (sopa) de água de flor de laranjeira (opcional)

Recheio
200 ml de creme de leite fresco
75 g de pistache sem sal picado
açúcar de confeiteiro, para polvilhar

Preparo

1 Preaqueça o forno a 200°C. Forre o fundo da fôrma com papel-manteiga. Coloque uma tigela refratária sobre uma panela com água fervente, mas sem tocar a água. Coloque os ovos, o açúcar e o sal e bata por 5 minutos com a batedeira até a mistura ficar cremosa.

2 Retire a tigela refratária da panela e bata por mais 1-2 minutos até esfriar. Peneire a farinha sobre a massa, adicione metade das raspas de laranja e 1 colher (sopa) do suco. Misture delicadamente. Despeje a massa por igual na assadeira e leve ao forno preaquecido por 12-15 minutos ou até ficar macia ao toque.

3 Polvilhe uma camada fina de açúcar sobre o papel-manteiga. Desenforme o bolo sobre o papel. Deixe esfriar por 5 minutos e retire o papel usado para assar. Borrife o bolo com a água de flor de laranjeira, se usar.

4 Usando o lado cego da faca, faça um corte no lado mais curto do bolo, a 2 centímetros da borda. Use o corte como marca e enrole a massa juntamente com o papel-manteiga (veja a Dica da Autora). Mantenha o bolo enrolado no papel-manteiga. Deixe esfriar.

5 Recheio: bata o creme de leite até ficar firme, adicione os pistaches, o restante das raspas e do suco de laranja e misture. Desenrole o rocambole, retire o papel-manteiga e espalhe o creme sobre a superfície. Enrole-o novamente e coloque-o sobre o prato de servir com a borda para baixo. Polvilhe açúcar de confeiteiro.

DICA DA AUTORA

Se a receita indicar que o rocambole esteja frio antes de ser recheado, ele precisará ser enrolado ainda morno e desenrolado depois. Enrole-o em uma nova folha de papel-manteiga para evitar que grude internamente, facilitando o desenrolar. Isso também fará com que fique mais firme depois de pronto.

Rocambole espanhol

Nessa sofisticada variação, uma massa com acentuado sabor de limão-siciliano envolve um ganache de chocolate e rum. Ideal para impressionar como sobremesa de um jantar! ▶

8-10 PORÇÕES | 40-45 MIN | 7-9 MIN | 8 SEM, S/ RECHEIO

Tempo de refrigeração
6h

Utensílio
1 fôrma de 32,5 cm x 23 cm

Ingredientes
manteiga, para untar
150 g de açúcar
5 ovos separados
raspas finas da casca de 2 limões-sicilianos
uma pitada de sal
45 g de farinha de trigo peneirada

Ganache
175 g de creme de leite fresco
1½ colher (chá) de canela em pó
125 g de chocolate amargo picado grosseiramente
1½ colher (chá) de rum
60 g de açúcar de confeiteiro
tirinhas de casca de limão cristalizadas

Preparo

1 Preaqueça o forno a 220°C. Unte e forre a fôrma com papel-manteiga. Misture 100 g de açúcar, as gemas e as raspas de limão-siciliano. Com a batedeira, bata até espessar. Bata as claras em neve firme. Acrescente o açúcar restante e bata até ficar brilhante. Adicione sal à mistura das gemas, depois a farinha peneirada e misture. Incorpore as claras delicadamente.

2 Coloque a massa na assadeira e nivele a superfície. Asse até dourar.

3 Desenforme o bolo sobre uma folha de papel-manteiga e remova a utilizada para assar. Faça um corte com o lado cego da faca na largura do bolo, a 2 cm da borda. Usando essa marca, enrole o bolo no papel-manteiga e aperte um pouco (veja a Dica da Autora). Deixe esfriar.

4 Ganache: aqueça o creme de leite com ½ colher (chá) de canela até quase ferver. Adicione o chocolate e mexa até derreter. Deixe esfriar, mexendo de vez em quando. Adicione o rum. Bata por 5-10 minutos na batedeira.

5 Misture metade do açúcar de confeiteiro com 1 colher (chá) de canela e polvilhe sobre uma folha de papel-manteiga. Desenrole o bolo sobre a folha. Espalhe o ganache, enrole e embrulhe com o papel. Refrigere por 6 horas. Desembrulhe e apare as pontas. Polvilhe açúcar de confeiteiro sobre o rocambole e espalhe as tirinhas cristalizadas.

Bolo de gengibre

Intensamente aromatizado pelo gengibre em calda, esse bolo úmido é delicioso e não vai durar nem uma semana!

12 PORÇÕES | 20 MIN | 35-45 MIN | 8 SEM

Utensílio

1 fôrma quadrada de 18 cm

Ingredientes

110 g de manteiga sem sal em temperatura ambiente, mais um pouco para untar
225 g de glicose de milho
200 ml de leite
110 g de açúcar mascavo
4 colheres (sopa) de calda de compota de gengibre
raspas finas da casca de 1 laranja
225 g de farinha de trigo com fermento
1 colher (chá) de bicarbonato de sódio
1 colher (chá) de canela em pó
1 colher (chá) de gengibre em pó
4 pedaços de gengibre em compota picados em pedaços pequenos e passados na farinha
1 ovo ligeiramente batido

Preparo

1 Preaqueça o forno a 170°C. Unte a fôrma e forre o fundo com papel-manteiga.

2 Em uma panela pequena, aqueça a manteiga, a glicose, o leite, o açúcar e a calda da compota de gengibre até derreter a manteiga. Acrescente as raspas de laranja e deixe esfriar por 5 minutos.

3 Em uma tigela grande, peneire a farinha, o bicarbonato e as especiarias. Despeje a mistura quente sobre os ingredientes secos e bata bem com um batedor de claras. Adicione o gengibre empanado e o ovo e continue batendo para incorporá-los à massa.

4 Coloque a massa na assadeira e leve ao forno por 35-45 minutos. Faça o teste do palito. Deixe o bolo na assadeira para esfriar por pelo menos 1 hora antes de desenformá-lo e colocá-lo sobre uma grade. Tire o papel-manteiga utilizado para assar.

GUARDE O bolo é bastante úmido e pode ser armazenado em recipiente hermético por até 1 semana.

DICA DA AUTORA

A glicose de milho e o açúcar mascavo utilizados como ingredientes nesta receita produzem um bolo úmido que se conserva bem por uma semana. Se começar a ficar seco com o passar dos dias, uma alternativa é fatiá-lo e servi-lo com manteiga no café da manhã.

Bolo de cenoura

Para um bolo mais requintado, faça o dobro da cobertura. Corte ao meio, recheie e cubra.

8-10 PORÇÕES | 20 MIN | 45 MIN | 8 SEM, S/ COBERT

Utensílios
1 fôrma redonda de 22 cm e fundo removível
descascador de legumes ou ralador

Ingredientes
100 g de nozes
225 g de óleo de girassol, mais um pouco para untar
3 ovos grandes
225 g de açúcar demerara
1 colher (chá) de extrato de baunilha
200 g de cenoura ralada finamente
100 g de uva-passa branca
200 g de farinha de trigo com fermento
75 g de farinha de trigo integral
1 colher (chá) de fermento em pó
uma pitada de sal
1 colher (chá) de canela em pó
1 colher (chá) de gengibre em pó
¼ de colher (chá) de noz-moscada
raspas finas da casca de 1 laranja

Cobertura
50 g de manteiga sem sal em temperatura ambiente
100 g de cream cheese em temperatura ambiente
200 g de açúcar de confeiteiro
½ colher (chá) de extrato de baunilha
casca de 2 laranjas

1 Preaqueça o forno a 180°C. Asse as nozes por 5 minutos até ficarem douradas.

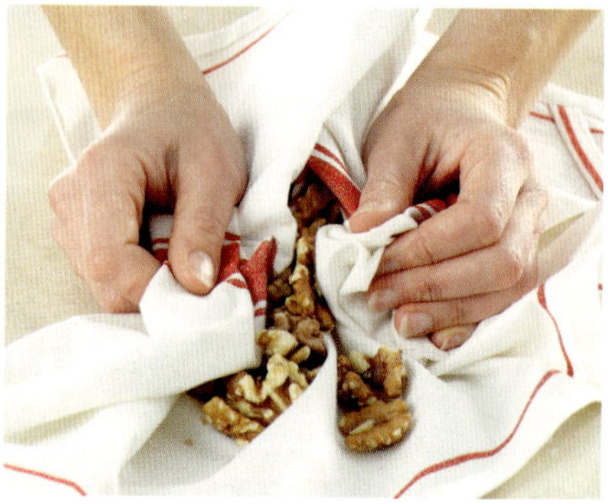

2 Friccione-as com um pano limpo para retirar a pele enquanto ainda estão quentes.

3 Coloque o óleo e os ovos em uma tigela e acrescente o açúcar demerara e a baunilha.

4 Bata a mistura na batedeira até ficar clara e espessa.

5 Esprema a cenoura ralada usando um pano de prato para remover o excesso de líquido.

6 Acrescente a cenoura à tigela com a mistura. Incorpore cuidadosamente.

7 Pique grosseiramente as nozes já frias.

8 Acrescente as nozes e as uvas-passas brancas e misture.

9 Peneire as duas farinhas sobre a massa e aproveite os farelos que sobrarem na peneira.

10 Incorpore o fermento, o sal, as especiarias e as raspas de laranja.

11 Unte a fôrma e forre o fundo com papel--manteiga. Nivele a superfície.

12 Asse por 45 minutos. Faça o teste do palito: se estiver pronto, ele deve sair limpo.

13 Desenforme o bolo sobre uma grade para esfriar.

14 Cobertura: junte todos os ingredientes e as raspas de 1 laranja.

15 Bata todos os ingredientes na batedeira até a mistura ficar clara, lisa e fofa.

16 Espalhe a cobertura fazendo movimentos circulares para dar textura.

17 Raspe a casca da outra laranja com um descascador ou use um ralador.

18 Use as raspas para decorar. Coloque o bolo sobre um prato de servir.
GUARDE O bolo pode ser armazenado em recipiente hermético por até 3 dias.

Variações de Bolo de cenoura

Bolo de abobrinha

Essa curiosa alternativa ao bolo de cenoura é sucesso garantido!

8-10 PORÇÕES | 20 MIN | 45 MIN | 8 SEM

Utensílio
1 fôrma redonda de 22 cm e fundo removível

Ingredientes
100 g de avelã
225 g de óleo de girassol, mais um pouco para untar
3 ovos grandes
1 colher (chá) de extrato de baunilha
225 g de açúcar
200 g de abobrinha ralada finamente
200 g de farinha de trigo com fermento
75 g de farinha de trigo integral
1 colher (chá) de fermento em pó
uma pitada de sal
1 colher (chá) de canela em pó
raspas finas da casca de 1 limão-siciliano

Preparo

1 Preaqueça o forno a 180°C. Unte a fôrma e forre o fundo com papel-manteiga. Asse as avelãs por 5 minutos até dourarem. Friccione-as com um pano de prato limpo enquanto ainda estão quentes para remover a pele. Deixe esfriar.

2 Ponha o óleo e os ovos em uma tigela e acrescente a baunilha e o açúcar. Bata a mistura na batedeira até ficar clara e espessa. Com a ajuda de um pano, esprema as abobrinhas e junte-as à massa, depois acrescente as avelãs. Peneire as farinhas, acrescente o fermento, o sal, a canela, as raspas de limão-siciliano e misture bem.

3 Coloque a massa na fôrma. Asse por 45 minutos ou até ficar firme ao toque. Desenforme sobre uma grade para esfriar.

GUARDE O bolo pode ser armazenado em recipiente hermético por até 3 dias.

DICA DA AUTORA

Não estranhe o uso da abobrinha. Ela não é tão doce quanto a cenoura, mas umedece e dá frescor à massa. Por não ter cobertura, esse bolo é mais saudável.

Bolo rápido de cenoura

Bolos de cenoura são perfeitos para iniciantes, pois não têm preparo demorado nem exigem tratamento muito delicado. Essa opção é rápida de fazer e vai desaparecer em um piscar de olhos.

8 PORÇÕES | 15 MIN | 20-25 MIN | 8 SEM, S/ COBERT

Utensílio
1 fôrma redonda de 20 cm e fundo removível

Ingredientes
75 g de manteiga sem sal derretida e fria, mais um pouco para untar
75 g de farinha de trigo integral
2 colheres (chá) de fermento em pó
1 colher (chá) de mistura de especiarias (cravo e canela em pó)
1 colher (chá) de gengibre em pó
2 cenouras raladas grosseiramente
75 g de açúcar demerara
50 g de uva-passa branca
2 ovos batidos
3 colheres (sopa) de suco de laranja natural

Cobertura
150 g de cream cheese em temperatura ambiente
1 colher (sopa) de açúcar de confeiteiro
raspas de limão-siciliano, para decorar

Preparo

1 Preaqueça o forno a 190°C. Unte a fôrma e forre o fundo com papel-manteiga.

2 Peneire a farinha, a mistura de especiarias, o gengibre e o fermento em uma tigela grande. Aproveite os farelos que não passarem pela peneira. Acrescente as cenouras, o açúcar e as uvas-passas brancas e misture. Junte os ovos batidos, 1 colher (sopa) de suco de laranja e 1 colher (sopa) de manteiga e misture tudo.

3 Coloque a massa na fôrma e nivele a superfície com uma espátula. Leve ao forno por 20-25 minutos ou até que um palito, quando inserido no centro do bolo, saia seco. Deixe o bolo na fôrma por 10 minutos para esfriar.

4 Passe uma faca pelos lados da fôrma para soltar o bolo e vire-o sobre uma grade. Tire o papel usado para assar e deixe-o esfriar completamente. Corte o bolo horizontalmente com uma faca de pão, obtendo assim dois discos.

5 Cobertura: bata o cream cheese com o restante do suco de laranja e o açúcar de confeiteiro. Espalhe o creme no centro do bolo, cubra com o outro disco e espalhe no topo. Decore com raspas de limão-siciliano.

GUARDE O bolo pode ser armazenado em recipiente hermético por 3 dias.

Bolo de cenoura e especiarias

Esse bolo é fabuloso para o inverno graças ao toque picante das especiarias. Se você assá-lo em uma fôrma quadrada, poderá servi-lo cortado em pedaços: ficará perfeito para uma festa!

16 PORÇÕES | 20 MIN | 30 MIN | 8 SEM, S/ COBERT

Utensílio
1 fôrma quadrada de 20 cm

Ingredientes
175 g de farinha de trigo com fermento
1 colher (chá) de mistura de especiarias (cravo e canela em pó)
1½ colher (chá) de bicarbonato de sódio
100 g de açúcar demerara ou mascavo
150 ml de óleo de girassol
2 ovos grandes
75 g de glicose de milho
125 g de cenoura ralada grosseiramente
raspas bem finas da casca de 1 laranja

Cobertura
75 g de açúcar de confeiteiro
100 g de cream cheese em temperatura ambiente
1-2 colheres (sopa) de suco de laranja
raspas bem finas de 1 laranja, mais um pouco para decorar

Preparo

1 Preaqueça o forno a 180°C. Forre a base e os lados da assadeira com papel-manteiga. Misture a farinha, as especiarias, o bicarbonato e o açúcar em uma tigela.

2 Em outro recipiente, bata o óleo, os ovos e a glicose e depois acrescente os ingredientes secos. Junte a cenoura e as raspas de laranja e misture. Coloque a massa na assadeira e nivele a superfície.

3 Asse por 30 minutos ou até ficar firme ao toque. Deixe o bolo na fôrma por alguns minutos, depois desenforme-o sobre uma grade para que esfrie. Tire o papel usado para assar.

4 Cobertura: peneire o açúcar de confeiteiro em uma tigela, adicione o cream cheese, o suco e as raspas de laranja. Bata com a batedeira até obter um creme liso com consistência cremosa. Espalhe a cobertura sobre o bolo. Decore com raspas de laranja (opcional) e corte em dezesseis pedaços.

GUARDE O bolo pode ser armazenado em recipiente hermético por até 3 dias.

Bolo de limão-siciliano e fubá

Um bolo sem farinha de trigo que funciona tão bem quanto se tivesse sido feito com esse ingrediente.

6-8 PORÇÕES | 30 MIN | 50-60 MIN | 8 SEM

Utensílio

1 fôrma redonda de 22 cm e fundo removível

Ingredientes

175 g de manteiga sem sal em temperatura ambiente, mais um pouco para untar
200 g de açúcar
3 ovos grandes batidos
75 g de fubá
175 g de amêndoa moída
raspas finas e suco de 2 limões-sicilianos
1 colher (chá) de fermento em pó
creme de leite fresco, para acompanhar (opcional)

1 Preaqueça o forno a 160ºC. Unte a fôrma e forre o fundo com papel-manteiga.

2 Bata a manteiga e o açúcar na batedeira até a mistura ficar fofa.

3 Aos poucos, adicione os ovos, batendo bem depois de cada adição.

4 Acrescente o fubá e as amêndoas e misture delicadamente.

5 Acrescente as raspas de limão-siciliano e o fermento. A massa ficará um pouco dura.

6 Coloque a massa na fôrma preparada e nivele a superfície com uma espátula.

7 Asse por 50-60 minutos, até ficar firme ao toque. A massa não crescerá muito.

8 Faça o teste do palito espetando-o no centro do bolo. Se sair limpo, está pronto.

9 Deixe o bolo na fôrma por alguns minutos para esfriar.

10 Enquanto isso, coloque o suco de limão e o restante do açúcar em uma panela.

11 Aqueça em fogo médio até que o açúcar fique totalmente dissolvido. Retire do fogo.

12 Desenforme o bolo sobre uma grade coberta com papel-manteiga.

13 Com um palito, faça pequenos furos no bolo enquanto ainda está quente.

14 Aos poucos, despeje a calda de limão--siciliano sobre o bolo.

15 Só quando a calda for totalmente absorvida despeje mais, até usar tudo.

16 Espere esfriar. Sirva em temperatura ambiente acompanhado de creme de leite fresco.
GUARDE O bolo pode ser armazenado em recipiente hermético por até 3 dias.

Variações de Bolo sem farinha de trigo

Bolo de chocolate e castanha-do-pará

Nessa receita, as castanhas-do-pará substituem as amêndoas na combinação com o chocolate para dar mais umidade e sabor ao bolo.

6-8 PORÇÕES | 25 MIN | 45-50 MIN | 4 SEM

Utensílios
1 fôrma redonda de 22 cm e fundo removível
processador de alimentos

Ingredientes
75 g de manteiga sem sal cortada em pedaços, mais um pouco para untar
100 g de chocolate amargo de boa qualidade quebrado em pedaços
150 g de castanha-do-pará
125 g de açúcar
4 ovos grandes separados
cacau em pó ou açúcar de confeiteiro, para servir
chantili para servir (opcional)

Preparo

1 Preaqueça o forno a 180°C. Unte a fôrma e forre o fundo com papel-manteiga. Derreta o chocolate em banho-maria e deixe esfriar.

2 Processe as castanhas-do-pará com o açúcar. Adicione a manteiga e pulse até misturar (veja a Dica da Autora). Acrescente as gemas, uma por vez, e incorpore. Junte o chocolate derretido à massa e misture.

3 Bata as claras em neve firme. Coloque a mistura de chocolate em uma tigela grande e adicione algumas colheradas das claras em neve para deixá-la mais leve. Cuidadosamente, junte o restante das claras.

4 Coloque a massa na fôrma preparada e asse por 45-50 minutos ou até ficar firme ao toque. Faça o teste do palito. Deixe o bolo esfriar na fôrma por alguns minutos e depois desenforme-o sobre uma grade para que esfrie completamente. Retire o papel usado para assar. Peneire o cacau em pó ou o açúcar de confeiteiro sobre o bolo. Se desejar, sirva com chantili.

GUARDE O bolo pode ser armazenado em recipiente hermético por até 3 dias.

DICA DA AUTORA

Muito cuidado ao passar a manteiga com as castanhas e o açúcar no processador: pulse em intervalos bem curtos, pois, do contrário, as castanhas liberarão seu óleo natural, alterando o sabor do bolo.

Torta margherita

Esse clássico da cozinha italiana leva fécula de batata e é levíssimo!

6-8 PORÇÕES | 20 MIN | 25-30 MIN | 8 SEM

Utensílio
1 fôrma redonda de 22 cm e fundo removível

Ingredientes
25 g de manteiga sem sal, mais um pouco para untar
2 ovos grandes, mais 1 gema
100 g de açúcar
1 colher (chá) de extrato de baunilha
100 g de fécula de batata peneirada
½ colher (chá) de fermento
raspas de ½ limão-siciliano
açúcar de confeiteiro, para polvilhar

Preparo

1 Derreta a manteiga e deixe esfriar. Preaqueça o forno a 180°C. Unte a fôrma e forre o fundo com papel-manteiga.

2 Bata os ovos, a gema, o açúcar e a baunilha por 5 minutos até dobrar de volume e obter uma mistura espessa e clara. Delicadamente, acrescente a fécula de batata, o fermento, as raspas de limão-siciliano e, em seguida, a manteiga derretida. Misture bem.

3 Coloque a massa na fôrma preparada e asse por 25-30 minutos ou até a torta ficar levemente dourada e firme ao toque. Faça o teste do palito.

4 Deixe a torta esfriar por 10 minutos e, em seguida, desenforme-a sobre uma grade para esfriar completamente. Tire o papel utilizado para assar. Polvilhe açúcar de confeiteiro e sirva.

GUARDE A torta pode ser armazenada em recipiente hermético por até 3 dias.

Castagnaccio

A farinha de castanha-portuguesa dá peso e umidade à massa.

6-8 PORÇÕES | 25 MIN | 50-60 MIN

Utensílio

1 fôrma redonda de 22 cm e fundo removível

Ingredientes

1 colher (chá) de azeite, mais um pouco para untar
50 g de uva-passa
50 g de amêndoa em lâminas
30 g de pinhole
300 g de farinha de castanha-portuguesa
25 g de açúcar
uma pitada de sal
400 ml de leite ou água
1 colher (sopa) de folhas de alecrim bem picadas
raspas de 1 laranja

Preparo

1 Preaqueça o forno a 180°C. Unte a fôrma e forre o fundo com papel-manteiga. Hidrate as uvas-passas com água quente por 5 minutos. Escorra a água.

2 Asse as amêndoas e os pinholes por 5-10 minutos ou até dourarem. Peneire a farinha de castanha em uma tigela grande. Adicione o açúcar e o sal.

3 Acrescente leite ou água e bata com um batedor de claras até a mistura ficar lisa e espessa. Adicione o azeite e misture. Coloque na fôrma e jogue por cima as uvas-passas, o alecrim, as raspas de laranja, as amêndoas e os pinholes.

4 Asse no centro do forno por 50-60 minutos ou até a superfície ficar seca e as bordas, douradas. O bolo não cresce. Mantenha-o na fôrma por 10 minutos e desenforme-o sobre uma grade. Aguarde esfriar. Retire o papel-manteiga e sirva.

GUARDE O bolo pode ser armazenado em recipiente hermético por até 3 dias.

ANOTE A farinha de castanha-portuguesa pode ser encontrada à venda na internet ou em lojas especializadas.

Bolo de chocolate recheado

Todos adoram esse clássico, que fica superúmido e diferente nessa versão com iogurte ou coalhada fresca.

6-8 PORÇÕES | 30 MIN | 20-25 MIN | 8 SEM, S/ RECHEIO

Utensílios

2 fôrmas redondas de 17 cm

Ingredientes

175 g de manteiga sem sal em temperatura ambiente, mais um pouco para untar
175 g de açúcar demerara
3 ovos grandes
125 g de farinha de trigo com fermento
50 g de cacau em pó
1 colher (chá) de fermento em pó
2 colheres (sopa) de iogurte natural ou coalhada fresca

Recheio

50 g de manteiga em temperatura ambiente
75 g de açúcar de confeiteiro peneirado, mais um pouco para polvilhar
25 g de cacau em pó
um pouco de leite, se necessário

1 Preaqueça o forno a 180ºC. Unte as fôrmas e forre fundos e lados com papel-manteiga.

2 Corte a manteiga em cubos e coloque em uma tigela grande com o açúcar.

3 Usando a batedeira, bata até obter uma mistura clara e fofa.

4 Acrescente os ovos, um por vez, batendo depois de cada adição até uniformizar.

5 Em outra tigela grande, peneire a farinha, o cacau em pó e o fermento.

6 Adicione os ingredientes secos à massa delicadamente, para manter o volume.

7 Acrescente o iogurte ou a coalhada, o que proporcionará umidade à massa.

8 Divida a massa e coloque nas duas fôrmas preparadas. Nivele as superfícies.

9 Coloque as fôrmas no centro do forno e asse por 20-25 minutos ou até a massa crescer.

10 Insira um espeto no bolo. Se sair seco, o bolo está pronto.

11 Deixe-os nas fôrmas por alguns minutos. Retire o papel-manteiga e deixe esfriar.

12 Recheio: coloque a manteiga, o açúcar de confeiteiro e o cacau em pó em uma tigela.

13 Bata com a batedeira por 5 minutos.

14 Se necessário, coloque uma colher de leite por vez, até obter consistência para espalhar.

15 Espalhe o recheio sobre um dos bolos e cubra com o outro (lado plano para cima).

16 Coloque o bolo sobre o prato de servir e polvilhe açúcar de confeiteiro.
GUARDE O bolo pode ser armazenado em recipiente hermético por até 2 dias.

Variações de Bolo de chocolate

Bolo de chocolate de três andares

Esse pão de ló úmido recheado com creme fofo de baunilha e coberto com creme aveludado de chocolate é tudo que um chocólatra pode desejar.

12 PORÇÕES | 15 MIN | 30-35 MIN

Utensílios

3 fôrmas redondas de 20 cm

Ingredientes

300 g de manteiga sem sal amolecida, mais 2 colheres (sopa) para untar
300 g de farinha de trigo com fermento
4 colheres (sopa) de cacau em pó
1 colher (chá) cheia de bicarbonato de sódio
300 g de açúcar, mais 1 colher (sopa)
5 ovos grandes
1 colher (chá) de extrato de baunilha
4 colheres (sopa) de leite
175 g de chocolate
450 ml de creme de leite fresco

Preparo

1 Preaqueça o forno a 180°C. Unte ligeiramente as fôrmas com manteiga e forre os fundos com papel-manteiga. Peneire juntos a farinha, o cacau em pó e o bicarbonato de sódio em uma tigela. Em uma outra vasilha, bata a manteiga e 300 g de açúcar com um mixer até obter um creme claro e fofo.

2 Acrescente os ingredientes secos peneirados, os ovos, o extrato de baunilha e o leite e bata por um minuto até a mistura ficar homogênea e fofa. Distribua a massa entre as três fôrmas e nivele as superfícies. Asse por 30-35 minutos. Deixe os bolos nas fôrmas por 5 minutos. Desenforme-os sobre uma grade.

3 Separe 50 g do chocolate e faça raspas usando um descascador de legumes. Reserve em lugar fresco.

4 Meça 150 ml de creme de leite em um refratário. Quebre em pedaços o restante do chocolate e junte ao creme. Coloque o refratário em banho-maria e mexa até que o chocolate derreta e o creme fique aveludado e brilhante. Retire do fogo, acrescente 2 colheres (sopa) de manteiga e mexa bem. Deixe esfriar.

5 Misture o creme de leite restante com 1 colher (sopa) de açúcar e gotas de extrato de baunilha e bata até obter picos suaves. Cubra a superfície de dois bolos com quantidades iguais de creme, coloque um bolo sobre o outro e cubra com o terceiro. Distribua o creme de chocolate frio às colheradas sobre a superfície, deixando que escorra pelas laterais. Enfeite com as raspas de chocolate e sirva.

Bolo de chocolate com calda fudge

Esse famoso bolo é imprescindível no repertório de todo cozinheiro.

8-12 PORÇÕES | 20 MIN | 40 MIN | 8 SEM, S/ COBERT

Utensílios

2 fôrmas redondas de 20 cm

Ingredientes

225 g de manteiga sem sal em temperatura ambiente, mais um pouco para untar
200 g de farinha de trigo com fermento
25 g de cacau em pó
4 ovos grandes
225 g de açúcar
1 colher (chá) de extrato de baunilha
1 colher (chá) de fermento em pó

Cobertura

45 g de cacau em pó
150 g de açúcar de confeiteiro
45 g de manteiga derretida
3 colheres (sopa) de leite, mais um pouco se necessário

Preparo

1 Preaqueça o forno a 180°C. Unte as fôrmas e forre os fundos com papel-manteiga. Peneire a farinha e o cacau em uma tigela e acrescente os outros ingredientes. Bata bem com a batedeira. Acrescente 2 colheres (sopa) de água quente para deixar a massa mais macia. Divida em duas partes e coloque-as nas fôrmas, nivelando as superfícies.

2 Asse por 35-40 minutos, até que os bolos cresçam e fiquem firmes ao toque. Deixe-os nas fôrmas por alguns minutos, desenforme-os sobre uma grade e tire o papel-manteiga.

3 Cobertura: peneire o cacau e o açúcar de confeiteiro em uma tigela, acrescente a manteiga e o leite e bata até obter uma mistura uniforme, com consistência adequada para espalhar; caso necessário, adicione um pouco mais de leite. Espalhe quando os bolos esfriarem e coloque um sobre o outro.

GUARDE O bolo pode ser armazenado em recipiente hermético por até 2 dias.

Bolo de chocolate e pera

Essa versão é uma excelente escolha se você quiser impressionar.

6-8 PORÇÕES | 15 MIN | 30 MIN

Utensílio
1 fôrma redonda de 20 cm e fundo removível

Ingredientes
- 125 g de manteiga sem sal em temperatura ambiente, mais um pouco para untar
- 175 g de açúcar demerara
- 4 ovos grandes ligeiramente batidos
- 250 g de farinha de trigo integral peneirada
- 2 colheres (chá) de fermento em pó
- 50 g de cacau em pó peneirado
- 50 g de chocolate amargo derretido
- 2 peras descascadas, sem caroços e picadas
- 150 ml de leite
- açúcar de confeiteiro, para polvilhar

Preparo

1 Preaqueça o forno a 180°C. Forre o fundo da fôrma com papel-manteiga e unte os lados com manteiga.

2 Bata a manteiga e o açúcar na batedeira até obter uma mistura clara e cremosa. Adicione os ovos, um por vez, e a farinha misturada com o fermento, aos poucos, batendo bem após cada adição, até incorporar tudo. Junte o cacau, o chocolate derretido e as peras. Em seguida, adicione o leite e misture bem.

3 Coloque a massa na fôrma preparada, leve ao forno e asse por 30 minutos ou até crescer e ficar firme ao toque. Deixe esfriar na fôrma por 5 minutos e depois desenforme sobre uma grade para esfriar completamente. Remova o papel-manteiga utilizado para assar. Polvilhe açúcar de confeiteiro e sirva.

GUARDE O bolo pode ser armazenado em recipiente hermético por até 2 dias.

Devil's food cake

Um clássico norte-americano com café, o que acentua o gosto do chocolate e dá ao bolo um sabor todo especial.

8-10 PORÇÕES | 30 MIN | 30-35 MIN | 8 SEM, S/ RECHEIO

Utensílios
2 fôrmas redondas de 20 cm
descascador de legumes ou ralador

Ingredientes
100 g de manteiga sem sal em temperatura ambiente, mais um pouco para untar
275 g de açúcar
2 ovos grandes
200 g de farinha de trigo com fermento
75 g de cacau em pó
1 colher (chá) de fermento em pó
1 colher (sopa) de café em pó misturado a 125 ml de água fervente ou 125 ml de café expresso
125 ml de leite
1 colher (chá) de extrato de baunilha

Recheio e cobertura
125 g de manteiga sem sal em pedaços
25 g de cacau em pó
125 g de açúcar de confeiteiro
2-3 colheres (sopa) de leite
raspas de chocolate amargo ou ao leite

Preparo

1 Preaqueça o forno a 180°C. Unte as fôrmas e forre os fundos com papel-manteiga. Bata a manteiga e o açúcar na batedeira até obter uma mistura clara e cremosa.

2 Acrescente os ovos, um por vez, batendo bem depois de cada adição. Em uma tigela separada, peneire a farinha, o cacau e o fermento. Em outro recipiente, misture o café frio, o leite e a baunilha.

3 Adicione colheradas alternadas dos ingredientes secos e líquidos à massa de manteiga e açúcar. Quando todos os ingredientes estiverem bem misturados, divida a massa por igual e coloque nas fôrmas.

4 Leve ao forno por 30-35 minutos, até que os bolos fiquem firmes ao toque ou até que um palito saia limpo quando inserido no centro. Deixe esfriar nas fôrmas por alguns minutos e depois desenforme sobre uma grade para que esfriem completamente. Retire o papel-manteiga usado para assá-los.

5 Recheio e cobertura: em uma panela, derreta a manteiga em fogo baixo. Acrescente o cacau em pó e continue a cozinhar por 1-2 minutos, mexendo sempre. Deixe esfriar um pouco.

6 Peneire o açúcar de confeiteiro sobre a mistura, batendo para uniformizar. Acrescente o leite, uma colher por vez, até obter um creme liso e brilhante. Deixe esfriar (irá endurecer) e então use metade para rechear o bolo. O restante deverá cobrir a superfície e as laterais. Finalmente, use um descascador de legumes ou ralador para fazer as raspas de chocolate e espalhe-as sobre a superfície do bolo.

GUARDE O bolo pode ser armazenado em recipiente hermético em lugar fresco por até 5 dias.

DICA DA AUTORA

Não estranhe o uso do café nessa receita. Mesmo que você normalmente não goste de bolos com esse sabor, experimente usá-lo aqui. O resultado é um bolo mais escuro, com um sabor levemente acentuado de chocolate, sem gosto forte de café.

Bolo fudge de chocolate

Todos devem ter a receita desse clássico bolo de chocolate, que tem a massa úmida por causa do óleo e da glicose de milho.

6-8 PORÇÕES | 40 MIN | 30 MIN | 8 SEM, S/ RECHEIO

Utensílios
2 fôrmas redondas de 17 cm

Ingredientes
150 ml de óleo de girassol, mais um pouco para untar
175 g de farinha de trigo com fermento
25 g de cacau em pó
1 colher (chá) de fermento em pó
150 g de açúcar demerara
3 colheres (sopa) de glicose de milho
2 ovos
150 ml de leite

Recheio e cobertura
125 g de manteiga sem sal
25 g de cacau em pó
125 g de açúcar de confeiteiro
2 colheres (sopa) de leite, se necessário

Preparo

1 Preaqueça o forno a 180°C. Unte as fôrmas e forre os fundos com papel-manteiga. Peneire a farinha, o cacau e o fermento em pó em uma tigela. Acrescente o açúcar.

2 Aqueça a glicose de milho em fogo brando até ferver e deixe esfriar. Bata os ovos, o óleo de girassol e o leite na batedeira.

3 Acrescente a mistura de ovos à de farinha e misture bem. Adicione o melado com cuidado e misture. Divida a massa em duas partes iguais e coloque nas fôrmas preparadas.

4 Asse no centro do forno por 30 minutos, até que os bolos fiquem firmes ao toque (faça o teste do palito). Deixe esfriar por alguns minutos nas fôrmas e depois desenforme sobre uma grade. Retire o papel-manteiga.

5 Recheio e cobertura: derreta a manteiga em fogo baixo. Acrescente o cacau em pó e misture sem tirar do fogo por 1-2 minutos; em seguida, retire do fogo e deixe esfriar. Peneire o açúcar de confeiteiro em uma tigela.

6 Adicione a manteiga derretida com cacau ao açúcar de confeiteiro e misture bem. Se a mistura ficar muito seca, acrescente um pouco de leite, 1 colher por vez, até que fique cremosa e com aparência brilhante. Deixe esfriar por 30 minutos. A mistura ficará mais espessa à medida que for esfriando.

7 Coloque um dos bolos sobre o prato de servir e espalhe metade do recheio já espesso na superfície. Coloque o outro bolo por cima e cubra com o restante da mistura.

GUARDE O bolo pode ser armazenado em recipiente hermético por até 3 dias.

DICA DA AUTORA
Essa cobertura pode ser utilizada em muitas outras receitas. Qualquer bolo recheado e preparado há alguns dias pode ser aquecido no micro-ondas por 30 segundos. A cobertura se transforma em uma calda saborosa e o bolo pode ser servido com sorvete de creme.

Torta musse de chocolate

Essa receita clássica é fácil de fazer, mesmo para um iniciante. Antes de cortar, mergulhe uma faca afiada em água quente e seque-a.

8-12 PORÇÕES | 20 MIN | 1H

Utensílio
1 fôrma de 23 cm e fundo removível

Ingredientes
250 g de manteiga sem sal em pedaços
350 g de chocolate amargo em pedaços
250 g de açúcar demerara
5 ovos grandes separados
uma pitada de sal
cacau em pó ou açúcar de confeiteiro, para polvilhar
chantili, para acompanhar (opcional)

Preparo

1 Preaqueça o forno a 180ºC. Unte a fôrma e forre o fundo com papel-manteiga. Derreta a manteiga e o chocolate em banho-maria e mexa levemente até obter uma mistura lisa e brilhante.

2 Tire a tigela da panela e deixe esfriar um pouco. Acrescente o açúcar, misture e, em seguida, junte as gemas, uma por vez, sem parar de misturar.

3 Coloque as claras em uma tigela grande com o sal e bata com a batedeira até o ponto de neve firme. Acrescente as claras à mescla de chocolate e incorpore com muito cuidado. Coloque a massa na fôrma preparada e nivele a superfície.

4 Asse por 1 hora. Deve estar firme por cima, mas o meio ainda se moverá ao balançar a fôrma. Deixe esfriar completamente ainda enformada. Desenforme e retire o papel-manteiga. Polvilhe açúcar de confeiteiro ou cacau em pó antes servir com uma colherada de chantili.

DICA DA AUTORA

Para que essa torta fique deliciosamente úmida, com uma consistência quase cremosa, preste atenção para não assá-la demais. O centro deve endurecer apenas quando a torta já estiver fora do forno, e, ao ser levemente pressionada com os dedos, a superfície deve ficar marcada.

Torta alemã de maçã

A simples torta de maçã se transforma em algo especial com essa deliciosa farofa crocante como cobertura.

6-8 PORÇÕES | 30 MIN | 45-50 MIN

Tempo de refrigeração
30 min

Utensílio
1 fôrma redonda de 20 cm e fundo removível

Ingredientes
175 g de manteiga sem sal em temperatura ambiente, mais um pouco para untar
175 g de açúcar mascavo
raspas finas de 1 limão-siciliano
3 ovos ligeiramente batidos
175 g de farinha de trigo com fermento
3 colheres (sopa) de leite
2 maçãs sem casca e sem sementes cortadas em fatias finas iguais

Farofa da cobertura
115 g de farinha de trigo
85 g de açúcar mascavo
2 colheres (chá) de canela em pó
85 g de manteiga sem sal em pedaços

1 Farofa da cobertura: coloque a farinha, o açúcar e a canela em uma tigela.

2 Adicione a manteiga e amasse até formar uma massa que esfarela.

3 Embale a massa em filme de PVC e leve à geladeira por 30 minutos.

4 Preaqueça o forno a 190°C. Unte a fôrma e forre o fundo com papel-manteiga.

5 Coloque a manteiga e o açúcar em uma tigela e bata até obter uma mistura cremosa.

6 Adicione as raspas de limão-siciliano e bata em velocidade baixa até incorporar.

7 Adicione os ovos batidos, um pouco por vez, batendo bem para evitar que talhe.

8 Peneire a farinha e incorpore delicadamente com uma colher de metal.

9 Finalmente, acrescente o leite e misture com cuidado.

10 Coloque metade da massa na fôrma e nivele com uma espátula de metal.

11 Disponha metade das fatias de maçã, deixando as mais bonitas para o topo.

12 Coloque a outra metade da massa sobre as maçãs e nivele a superfície.

13 Disponha o restante das fatias de maçã sobre a massa.

14 Tire a massa da farofa da geladeira e passe-a pela parte grossa do ralador.

15 Espalhe uniformemente a farofa sobre as maçãs.

16 Coloque a fôrma no centro do forno e asse por 45 minutos. Faça o teste do palito.

17 Se não sair limpo, asse por mais alguns minutos e repita a operação.

18 Deixe a torta na fôrma por 10 minutos. Desenforme com cuidado para manter a farofa na superfície e deixe esfriar sobre uma grade. Sirva morna.

Variações de Torta de maçã

Torta de maçã com nozes-pecãs

Às vezes, é melhor optar por bolos mais saudáveis. Esse é delicioso: tem pouca gordura e leva também uvas-passas brancas.

10-12 PORÇÕES | 25 MIN | 30-35 MIN

Utensílio

1 fôrma redonda de 23 cm e fundo removível

Ingredientes

manteiga, para untar
50 g de nozes-pecãs sem casca
200 g de maçã sem casca nem sementes cortada em cubinhos
150 g de açúcar demerara
250 g de farinha de trigo com fermento
1 colher (chá) de fermento em pó
2 colheres (chá) de canela em pó
uma pitada de sal
3½ colheres (sopa) de óleo de girassol
3½ colheres (sopa) de leite, mais um pouco se necessário
2 ovos
1 colher (chá) de extrato de baunilha
50 g de uva-passa branca
chantili para acompanhar ou açúcar de confeiteiro para polvilhar (opcional)

Preparo

1 Preaqueça o forno a 180°C. Unte a fôrma e forre o fundo com papel-manteiga. Coloque as nozes-pecãs em uma assadeira e asse por 5 minutos. Deixe esfriar e pique-as.

2 Misture as maçãs e o açúcar em uma tigela. Peneire a farinha, o fermento, a canela, o sal e misture. À parte, bata o óleo, o leite, os ovos e a baunilha.

3 Adicione a mistura de leite à de farinha e misture bem. Acrescente as pecãs e as uvas-passas e coloque na fôrma.

4 Asse por 30-35 minutos ou até que um palito, inserido no centro da torta, saia limpo. Deixe esfriar na fôrma por alguns minutos e depois desenforme sobre uma grade. Retire o papel-manteiga. Sirva fria com açúcar de confeiteiro por cima ou morno com chantili.

GUARDE O bolo pode ser armazenado em recipiente hermético por até 3 dias.

Torta di mela

A sobremesa de maçã preferida fica ainda melhor nessa versão italiana!

8 PORÇÕES | 20-25 MIN | 1H15 1H30 | 8 SEM

Utensílios

1 fôrma redonda de 23-25 cm e fundo removível
1 pincel

Ingredientes

175 g de manteiga sem sal em temperatura ambiente, mais um pouco para untar
175 g de farinha de trigo, mais um pouco para polvilhar a fôrma
½ colher (chá) de sal
1 colher (chá) de fermento em pó
raspas finas e suco de 1 limão-siciliano
625 g de maçã sem casca nem sementes cortada em fatias
200 g de açúcar, mais 60 g para o glacê
2 ovos
4 colheres (sopa) de leite

Preparo

1 Preaqueça o forno a 180°C. Unte e enfarinhe a fôrma. Peneire a farinha com o sal e o fermento. Despeje o suco de limão-siciliano sobre as maçãs.

2 Bata a manteiga na batedeira até obter um creme. Adicione o açúcar e as raspas de limão-siciliano até a mistura ficar clara e fofa. Junte os ovos, um por vez, batendo bem depois de cada adição. Aos poucos, acrescente o leite.

3 Incorpore a mistura de farinha e metade das maçãs. Coloque na fôrma e nivele a superfície. Disponha o restante das fatias de maçã sobre a massa. Asse por 1h15-1h30.

4 Enquanto isso, prepare o glacê. Em uma panela pequena, aqueça em fogo baixo 4 colheres (sopa) de água e o açúcar até dissolver. Deixe ferver por 2 minutos sem mexer. Espere esfriar.

5 Pincele o glacê sobre a torta. Desenforme depois que esfriar.

GUARDE A torta pode ser armazenada em recipiente hermético por até 2 dias.

Bolo de maçã caramelada

Caramelar as frutas proporciona a esse bolo um sabor maravilhoso. A calda, disposta sobre o bolo já assado, garante um sabor ainda mais rico.

8-10 PORÇÕES | 40 MIN | 40-45 MIN | 4 SEM

Utensílio

1 fôrma redonda de 22 cm e fundo removível

Ingredientes

200 g de manteiga sem sal em temperatura ambiente, mais um pouco para untar
50 g de açúcar
250 g de maçã sem casca nem sementes cortada em cubos
150 g de açúcar demerara
3 ovos
150 g de farinha de trigo com fermento
1 colher (chá) de fermento em pó
chantili para acompanhar ou açúcar de confeiteiro para polvilhar (opcional)

Preparo

1 Preaqueça o forno a 180°C. Unte a fôrma e forre o fundo com papel-manteiga. Em uma frigideira grande, aqueça levemente 50 g de manteiga e o açúcar até que a manteiga derreta e fique levemente dourada. Acrescente as maçãs cortadas em cubos e cozinhe por 7-8 minutos, até que fiquem macias e carameladas.

2 Bata o restante da manteiga com o açúcar na batedeira até obter uma mistura clara e fofa. Acrescente os ovos, um por vez, batendo sempre depois de cada adição. Peneire a farinha e o fermento e adicione-os à mistura.

3 Retire as maçãs da frigideira com uma escumadeira e reserve as frutas e a calda. Espalhe as maçãs sobre o fundo da fôrma e despeje a massa por cima. Coloque a fôrma dentro de uma assadeira para reter o líquido que possa vazar. Coloque ambas no meio do forno e asse por 40-45 minutos. Deixe esfriar por alguns minutos na fôrma e depois desenforme sobre uma grade.

4 Leve a frigideira com a calda que sobrou ao fogo baixo e aqueça até amornar. Com um palito, faça buracos na superfície do bolo. Coloque sobre um prato e derrame a calda sobre ele. Sirva quente com chantili ou frio, polvilhado com açúcar de confeiteiro.

GUARDE O bolo pode ser armazenado em recipiente hermético por até 3 dias.

Bolo virado de ruibarbo e gengibre

O ruibarbo é usado nessa receita simples de bolo virado para dar um toque moderno à sobremesa clássica.

6-8 PORÇÕES | 40 MIN | 40-45 MIN

Utensílio

1 fôrma redonda de 22 cm e fundo removível

Ingredientes

150 g de manteiga sem sal em temperatura ambiente, mais um pouco para untar
500 g de ruibarbo
150 g de açúcar mascavo
4 colheres (sopa) de gengibre em conserva picado
3 ovos grandes
150 g de farinha de trigo com fermento
2 colheres (chá) de gengibre em pó
1 colher (chá) de fermento em pó
chantili, para acompanhar (opcional)

1 Preaqueça o forno a 180°C. Derreta um pouco de manteiga e unte a fôrma.

2 Forre o fundo e os lados da fôrma com papel-manteiga.

3 Lave os talos de ruibarbo e remova as partes desbotadas e secas.

4 Corte os talos em pedaços de 2 centímetros com uma faca afiada.

5 Espalhe um pouco de açúcar por igual na base da fôrma.

6 Em seguida, espalhe metade do gengibre em conserva picado.

7 Por cima, faça uma camada com os talos de ruibarbo, cobrindo bem o fundo da fôrma.

8 Coloque a manteiga e o restante do açúcar em uma tigela.

9 Bata a manteiga e o açúcar até obter uma mistura clara e fofa.

10 Adicione os ovos, um por vez, batendo sempre para incorporar o máximo de ar.

11 Com cuidado, acrescente o restante do gengibre e misture bem.

12 Peneire a farinha, o gengibre em pó e o fermento em outra tigela.

13 Acrescente os ingredientes secos peneirados ao creme de manteiga.

14 Incorpore-os, tentando manter o volume da massa.

15 Coloque-a na fôrma com cuidado para não deslocar a camada de talos de ruibarbo.

16 Asse no meio do forno por 45 minutos ou até que esteja firme ao toque.

17 Deixe o bolo esfriar na fôrma por 20-30 minutos. Depois, desenforme-o com cuidado.

18 Sirva quente, acompanhado de chantili. **GUARDE** O bolo também é ótimo frio e pode ser armazenado em recipiente hermético por até 2 dias.

Variações de Bolo de frutas frescas

Bolo virado de mirtilo

Uma maneira deliciosa de transformar uma porção de mirtilos e mais alguns itens da despensa em uma sobremesa rápida e saborosa!

8-10 PORÇÕES | 15 MIN | 40 MIN

Utensílio
1 fôrma redonda de 22 cm e fundo removível

Ingredientes
150 g de manteiga sem sal em temperatura ambiente, mais um pouco para untar
150 g de açúcar
3 ovos
1 colher (chá) de extrato de baunilha
100 g de farinha de trigo com fermento
1 colher (chá) de fermento em pó
50 g de amêndoa moída
250 g de mirtilo fresco
chantili ou creme de baunilha para acompanhar ou açúcar de confeiteiro para polvilhar (opcional)

Preparo

1 Preaqueça o forno a 180°C e coloque um tabuleiro dentro dele. Unte a fôrma e forre o fundo com papel-manteiga. Bata a manteiga e o açúcar na batedeira até obter um creme claro e fofo.

2 Acrescente os ovos, um por vez, batendo bem depois de cada adição. Acrescente o extrato de baunilha. Peneire a farinha e o fermento sobre a massa e junte as amêndoas moídas. Misture delicadamente.

3 Coloque os mirtilos na fôrma e espalhe a massa sobre eles. Ponha a fôrma sobre o tabuleiro na grade central do forno e asse por cerca de 35-40 minutos ou até ficar dourado e firme ao toque. Faça o teste do palito. Deixe esfriar na fôrma.

4 Desenforme o bolo no prato de servir. Sirva quente com chantili ou creme de baunilha; ou frio, polvilhado com açúcar de confeiteiro.

GUARDE O bolo pode ser armazenado em recipiente hermético por até 2 dias.

Bolo de pera

Peras, iogurte e amêndoas deixam esse bolo realmente suculento.

6-8 PORÇÕES | 40 MIN | 45-50 MIN | 8 SEM

Utensílio
1 fôrma redonda de 18 cm e fundo removível

Ingredientes
100 g de manteiga sem sal em temperatura ambiente, mais um pouco para untar
75 g de açúcar demerara
1 ovo ligeiramente batido
125 g de farinha de trigo com fermento
1 colher (chá) de fermento em pó
½ colher (chá) de gengibre moído
½ colher (chá) de canela em pó
raspas e suco de ½ laranja
4 colheres (sopa) de coalhada fresca ou iogurte natural
25 g de amêndoa moída
1 pera grande ou 2 pequenas (sem casca nem sementes) em fatias

Cobertura
2 colheres (sopa) de amêndoa em lâminas
2 colheres (sopa) de açúcar demerara

Preparo

1 Preaqueça o forno a 180°C. Unte a fôrma e forre o fundo com papel-manteiga. Bata a manteiga e o açúcar na batedeira até obter um creme claro e fofo. Junte o ovo.

2 Peneire sobre o creme a farinha, o fermento, o gengibre e a canela e misture delicadamente. Acrescente as raspas e o suco de laranja, a coalhada ou o iogurte e as amêndoas moídas. Coloque metade da massa na fôrma, depois as peras, e por cima o restante da massa.

3 Cobertura: misture as amêndoas em lâminas e o açúcar e coloque sobre o bolo. Asse por 40-50 minutos ou até que o palito saia limpo quando inserido no centro.

4 Deixe esfriar na fôrma e depois desenforme sobre uma grade. Sirva em temperatura ambiente.

GUARDE O bolo pode ser armazenado em recipiente hermético por até 3 dias.

Bolo de cereja e amêndoa

Uma combinação clássica de sabores, sempre apreciada.

8-10 PORÇÕES | 20 MIN | 1H30-1H45 | 4 SEM

Utensílio

1 fôrma redonda alta de 20 cm e fundo removível

Ingredientes

150 g de manteiga sem sal em temperatura ambiente, mais um pouco para untar
150 g de açúcar
2 ovos grandes ligeiramente batidos
250 g de farinha de trigo com fermento peneirada
1 colher (chá) de fermento em pó
150 g de amêndoa moída
1 colher (chá) de extrato de baunilha
75 ml de leite integral
400 g de cereja sem caroço
25 g de amêndoa sem pele picada

Preparo

1 Preaqueça o forno a 180°C. Unte a fôrma e forre o fundo com papel-manteiga. Bata a manteiga e o açúcar. Acrescente os ovos, um pouco por vez, colocando uma colher de farinha de trigo antes de cada adição.

2 Junte o restante da farinha, o fermento, as amêndoas moídas, a baunilha e o leite. Adicione metade das cerejas e coloque a massa na fôrma, espalhando por igual. Coloque o restante das cerejas e das amêndoas sobre o bolo.

3 Asse por 1h30-1h45 ou até dourar e ficar firme ao toque. Faça o teste do palito. Se a superfície do bolo começar a ficar muito escura antes que esteja assado, cubra-o com papel-alumínio. Depois de pronto, retire do forno e deixe na fôrma por alguns minutos. Desenforme sobre uma grade para esfriar e retire o papel-manteiga antes de servir.

GUARDE O bolo pode ser armazenado em recipiente hermético por até 2 dias.

Torta bávara de ameixa

A Baviera é famosa por seus bolos. Essa receita diferente fica entre o pão doce e uma torta cremosa de frutas.

8-10 PORÇÕES | 35-40 MIN | 50-55 MIN | 4 SEM

Tempo de descanso
2h-2h45

Utensílio
1 fôrma redonda para torta de 28 cm

Ingredientes
1½ colher (chá) de fermento biológico seco
óleo vegetal, para untar
375 g de farinha de trigo, mais um pouco para polvilhar
2 colheres (sopa) de açúcar
1 colher (chá) de sal
3 ovos
125 g de manteiga sem sal em temperatura ambiente, mais um pouco para untar

Recheio
2 colheres (sopa) de farinha de rosca
875 g de ameixa sem caroço e cortada em fatias
2 gemas
100 g de açúcar
60 ml de creme de leite fresco

Preparo

1 Em uma tigela pequena, coloque o fermento em um pouco de água morna por cerca de 5 minutos até dissolver. Unte levemente outro recipiente. Peneire a farinha sobre a superfície de trabalho. Faça uma cova no centro e coloque o açúcar, o sal, o fermento dissolvido e os ovos.

2 Trabalhe os ingredientes até obter uma massa macia; se ficar muito grudenta, adicione mais um pouco de farinha. Sove sobre uma superfície enfarinhada por cerca de 10 minutos, até que fique elástica. A massa deve ficar ligeiramente pegajosa, mas sem grudar na área de trabalho. Use mais farinha se necessário.

3 Adicione a manteiga à massa, trabalhando com os dedos para incorporar bem. Faça uma bola e coloque na tigela untada. Cubra com um pano e deixe crescer na geladeira por 1h30-2h, ou durante a noite, até dobrar de volume.

4 Unte a fôrma. Sove a massa gelada para eliminar o ar. Enfarinhe a superfície de trabalho e abra a massa com um rolo em um círculo de 32 cm de diâmetro. Enrole a massa em volta do rolo e desenrole-a sobre a fôrma. Pressione delicadamente contra o fundo e, com o rolo, corte o excesso.

5 Recheio: polvilhe a farinha de rosca sobre a massa. Em seguida, coloque as fatias de ameixas com as cascas viradas para cima e em círculos concêntricos. Deixe descansar em temperatura ambiente por 30-45 minutos ou até que as bordas da massa estufem. Enquanto isso, preaqueça o forno a 220°C e coloque uma assadeira para esquentar.

6 Coloque as gemas e ⅔ do açúcar em uma tigela. Acrescente o creme de leite fresco, bata rapidamente e reserve.

7 Espalhe o restante do açúcar sobre as ameixas. Coloque a fôrma dentro da assadeira e asse por 5 minutos. Retire do forno e diminua a temperatura para 180°C.

8 Espalhe o creme sobre a torta e leve-a novamente ao forno. Asse por 45 minutos até que a massa fique dourada, as frutas, macias, e o creme, ligeiramente firme. Deixe esfriar sobre uma grade. Sirva quente ou em temperatura ambiente.

GUARDE A torta pode ser armazenada na geladeira em recipiente hermético por até 2 dias.

DICA DA AUTORA

O creme não pode estar totalmente firme quando a torta é retirada do forno. Verifique sua consistência balançando a fôrma. O creme deve ficar um pouco mole no meio. Caso contrário, ao esfriar ficará seco e duro, em vez de úmido e macio.

BOLOS CLÁSSICOS

Bolo de banana

Esse bolo em formato de pão é delicioso e fácil de fazer. As nozes o deixam crocante.

2 UNID | 20-25 MIN | 35-40 MIN | 8 SEM

Utensílios

2 fôrmas para bolo inglês de 450 g

Ingredientes

manteiga sem sal, para untar
375 g de farinha de trigo, mais um pouco para polvilhar a fôrma
2 colheres (chá) de fermento em pó
2 colheres (chá) de canela em pó
1 colher (chá) de sal
125 g de nozes picadas grosseiramente
3 ovos
3 bananas maduras em rodelas
raspas e suco de 1 limão-siciliano
125 g de óleo vegetal
200 g de açúcar cristal
100 g de açúcar mascavo
2 colheres (chá) de extrato de baunilha
cream cheese ou manteiga, para acompanhar (opcional)

1 Preaqueça o forno a 180°C. Unte bem as fôrmas.

2 Enfarinhe cada fôrma cobrindo os lados e o fundo. Elimine o excesso de farinha.

3 Peneire farinha, fermento, canela e sal em uma tigela. Acrescente as nozes e misture.

4 Faça uma cova no centro para colocar os outros ingredientes.

5 Bata os ovos em uma tigela separada.

6 Amasse as rodelas de banana em outro recipiente, até obter uma pasta uniforme.

7 Junte a banana e as raspas de limão-siciliano aos ovos batidos e misture bem.

8 Incorpore o óleo, o açúcar cristal, o açúcar mascavo, a baunilha e o suco de limão.

9 Coloque $^{2}/_{3}$ da mistura de banana na cova de farinha e misture tudo.

10 Incorpore os ingredientes secos e o restante da banana amassada.

11 Misture até ficar uniforme; o bolo ficará duro se a massa for misturada por muito tempo.

12 Divida a massa em duas partes iguais e preencha as fôrmas até a metade.

13 Asse por 35-40 minutos ou até os bolos se soltarem das laterais das fôrmas.

14 Veja se já estão assados fazendo o teste do palito.

15 Deixe-os nas fôrmas por alguns minutos e depois desenforme-os sobre uma grade.

16 Sirva em fatias com cream cheese ou manteiga. Também fica muito bom tostado.
GUARDE O bolo de banana conserva-se bem em recipiente hermético por até 3-4 dias.

Variações de Bolo inglês

Bolo de maçã

Farinha de trigo integral e maçãs produzem um bolo mais saudável.

1 UNID | 30 MIN | 40-50 MIN | 8 SEM

Utensílio
1 fôrma para bolo inglês de 900 g

Ingredientes
120 g de manteiga sem sal em temperatura ambiente, mais um pouco para untar
60 g de açúca demerara
60 g de açúcar
2 ovos
1 colher (chá) de extrato de baunilha
60 g de farinha de trigo com fermento, mais um pouco para polvilhar a fôrma
60 g de farinha de trigo integral
2 colheres (chá) de fermento em pó
2 colheres (chá) de canela em pó
2 maçãs sem casca nem sementes cortadas em cubos

Preparo

1 Preaqueça o forno a 180°C. Unte a fôrma e forre o fundo e os lados com papel-manteiga. Bata a manteiga e os dois tipos de açúcar.

2 Acrescente os ovos, um por vez, e misture. Adicione a baunilha. Em outra tigela, peneire as farinhas, o fermento e a canela. Junte os ingredientes secos à massa e misture bem.

3 Passe as maçãs em um pouco de farinha de trigo e adicione-as à massa. Coloque na fôrma preparada. Asse por 40-50 minutos ou até dourar. Deixe esfriar por alguns minutos e desenforme sobre uma grade.

GUARDE O bolo conserva-se bem em recipiente hermético por até 3 dias.

DICA DA AUTORA

Ao assar um bolo com frutas secas ou frescas, passe-as em farinha antes de acrescentá-las à massa. Isso impede que as frutas se depositem no fundo da fôrma durante o processo de cozimento e faz com que se distribuam igualmente pelo bolo.

Bolo de nozes-pecãs e cranberry

Cranberries secos são uma excelente alternativa às uvas-passas, acrescentando um sabor adocicado mais acentuado a essa receita. ▶

1 UNID | 30 MIN | 50-60 MIN | 4 SEM

Utensílio
1 fôrma para bolo inglês de 900 g

Ingredientes
100 g de manteiga sem sal, mais um pouco para untar
100 g de açúcar demerara
75 g de cranberry seco picado grosseiramente
50 g de nozes-pecãs picadas grosseiramente
raspas de 2 laranjas e suco de 1 laranja
2 ovos
125 ml de leite
225 g de farinha de trigo com fermento
½ colher (chá) de fermento em pó
½ colher (chá) de canela em pó
100 g de açúcar de confeiteiro peneirado

Preparo

1 Preaqueça o forno a 180°C. Unte a fôrma e forre o fundo e os lados com papel-manteiga. Derreta a manteiga. Deixe esfriar um pouco e acrescente o açúcar, os cranberries, as nozes e as raspas de 1 laranja. Bata os ovos e o leite e incorpore à massa.

2 Peneire a farinha, o fermento e a canela. Adicione-os à massa e misture bem. Coloque-a na fôrma e asse por 50-60 minutos. Deixe esfriar e desenforme.

3 Misture o açúcar de confeiteiro e o restante das raspas. Adicione suco de laranja suficiente para derramar em fio sobre o bolo. Deixe secar antes de servir.

GUARDE O bolo pode ser armazenado em recipiente hermético por até 3 dias.

Bolo de batata-doce

Apesar do toque picante, esse bolo tem uma doçura acentuada e é muito parecido com o de banana na aparência e na textura.

1 UNID | 10 MIN | 1H | 4 SEM

Utensílio
1 fôrma para bolo inglês de 900 g

Ingredientes
100 g de manteiga sem sal, mais um pouco para untar
175 g de batata-doce sem casca cortada em cubos
200 g de farinha de trigo
2 colheres (chá) de fermento em pó
uma pitada de sal
½ colher (chá) de mistura de especiarias (cravo e canela em pó)
pimenta-do-reino a gosto
125 g de açúcar
50 g de nozes-pecãs cortadas grosseiramente
50 g de tâmara picada
100 ml de óleo de girassol
2 ovos

Preparo

1 Unte a fôrma e forre o fundo e os lados com papel-manteiga. Cozinhe as batatas-doces em água até ficarem macias. Amasse-as e deixe esfriar.

2 Preaqueça o forno a 170°C. Peneire a farinha, o fermento, o sal, as especiarias e o açúcar. Junte as nozes e as tâmaras e misture bem. Faça uma cova no meio.

3 Bata os ovos com o óleo até emulsionar. Acrescente a batata-doce e misture. Junte à mistura de farinha e incorpore bem.

4 Coloque a massa na fôrma e nivele a superfície. Asse por 1 hora ou até crescer (faça o teste do palito). Deixe esfriar por 5 minutos e desenforme.

GUARDE O bolo pode ser armazenado em recipiente hermético por até 3 dias.

bolos para celebrar

Bolo de frutas secas

Esse bolo delicioso é ideal para o Natal, festas de noivado, batizado ou aniversário.

16 PORÇÕES | 25 MIN | 2H30

Tempo de hidratação
1 noite

Utensílios
1 fôrma redonda alta de 20-25 cm
1 pincel

Ingredientes
200 g de uva-passa branca
400 g de uva-passa preta
350 g de ameixa preta picada
350 g de cereja em calda
2 maçãs pequenas sem casca nem sementes cortadas em cubos
600 ml de sidra
4 colheres (chá) de mistura de especiarias (cravo e canela em pó)
200 g de manteiga sem sal em temperatura ambiente
175 g de açúcar mascavo
3 ovos batidos
150 g de amêndoa moída
280 g de farinha de trigo
2 colheres (chá) de fermento em pó
400 g de marzipã pronto
2-3 colheres (sopa) de geleia de damasco
3 claras de ovo
500 g de açúcar de confeiteiro

1 Em uma panela, coloque as frutas, a sidra e as especiarias e misture.

2 Tampe e ferva em fogo médio-baixo por 20 minutos, até reduzir a maior parte do líquido.

3 Tire do fogo. Reserve por 1 noite para que as frutas absorvam o líquido.

4 Preaqueça o forno a 160°C. Forre a fôrma com duas camadas de papel-manteiga.

5 Bata a manteiga e o açúcar na batedeira até obter uma mistura fofa.

6 Coloque os ovos aos poucos, batendo bem depois de cada adição para não talhar.

7 Acrescente as frutas e as amêndoas moídas, mantendo o volume da massa.

8 Peneire a farinha e o fermento em pó sobre a massa e misture delicadamente.

9 Coloque a massa na fôrma, cubra com papel-alumínio e asse por 2h30.

10 Verifique se está pronto fazendo o teste do palito.

11 Deixe esfriar e desenforme sobre uma grade. Retire o papel-manteiga.

12 Coloque-o em um tabuleiro e cubra as imperfeições da massa com o marzipã.

13 Aqueça a geleia e espalhe uma camada sobre o bolo, para fixar o marzipã.

14 Em uma superfície levemente enfarinhada, amasse o restante do marzipã até amolecer.

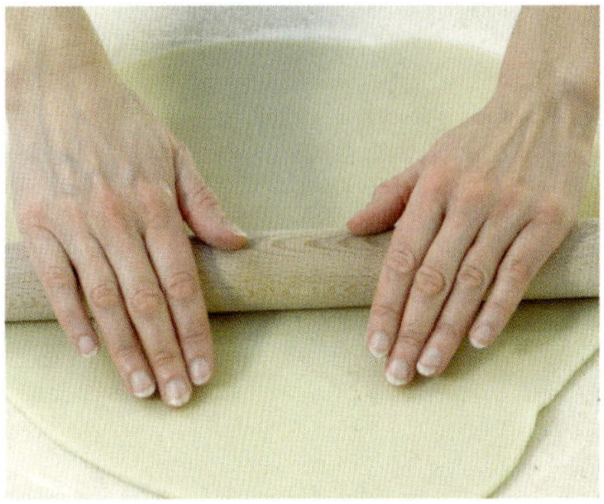

15 Com um rolo, abra o marzipã até conseguir o suficiente para cobrir o bolo.

16 Enrole o marzipã no rolo e depois desenrole-o sobre o bolo.

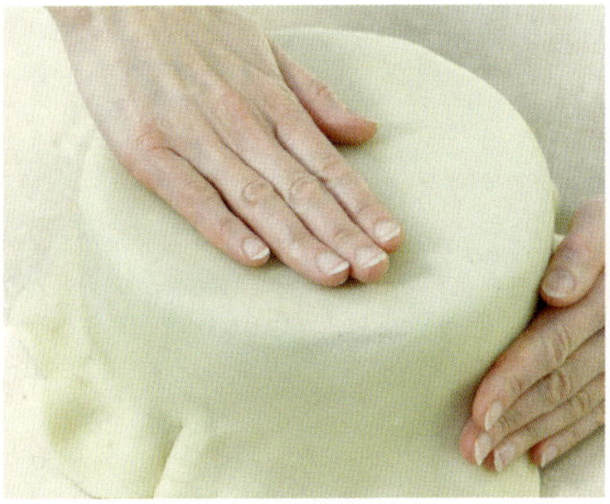

17 Ajeite delicadamente o marzipã, aderindo-o perfeitamente ao bolo.

18 Com uma faca afiada pequena, corte todo o excesso de marzipã da base do bolo.

19 Coloque as claras em uma tigela, peneire o açúcar de confeiteiro e misture.

20 Bata as claras por 10 minutos até obter ponto de neve firme.

21 Espalhe a cobertura. **PREPARE ANTES** Sem cobrir, o bolo se conserva por até 8 semanas.

BOLO DE FRUTAS SECAS

Variações de Bolo de frutas secas

Bolo de chocolate e ameixa

Ameixas em calda dão a esse bolo um sabor delicioso e o transformam em uma perfeita sobremesa de inverno.

8-10 PORÇÕES | 30 MIN | 40-45 MIN | 8 SEM

Tempo de hidratação
1 noite

Utensílio
1 fôrma redonda de 22 cm e fundo removível

Ingredientes
- 100 g de ameixa em calda picada
- 100 ml de conhaque ou chá-preto frio
- 125 g de manteiga sem sal em temperatura ambiente, mais um pouco para untar
- 250 g de chocolate amargo de boa qualidade picado grosseiramente
- 3 ovos separados
- 150 g de açúcar
- 100 g de amêndoa moída
- cacau em pó, para polvilhar
- chantili, para acompanhar (opcional)

Preparo

1 Deixe as ameixas macerando no conhaque ou no chá por uma noite. Quando estiverem prontas, preaqueça o forno a 180°C. Unte a fôrma e forre o fundo com papel-manteiga.

2 Derreta o chocolate e a manteiga em banho-maria e deixe esfriar. Bata as gemas e o açúcar na batedeira. Separadamente, bata as claras em neve.

3 Misture o chocolate ao creme de gemas e açúcar. Acrescente as amêndoas, as ameixas e o líquido da maceração e misture. Incorpore delicadamente as claras em neve.

4 Coloque a mistura na fôrma e asse por 40-45 minutos ou até ficar crocante, mas com o centro ligeiramente macio. Deixe esfriar na fôrma e depois desenforme o bolo sobre uma grade. Remova o papel.

5 Polvilhe cacau em pó na superfície plana e sirva com chantili.

PREPARE ANTES O bolo pode ser armazenado em recipiente hermético por até 5 dias.

Bolo de chá

Uma receita simples: use a água da infusão e as frutas também!

8-10 PORÇÕES | 20 MIN | 1H | 4 SEM

Tempo de hidratação
1 noite

Utensílio
1 fôrma para bolo inglês de 900 g

Ingredientes
- 250 g de frutas secas variadas (uvas-passas brancas e pretas, groselhas e tirinhas de cascas de limão e laranja cristalizadas)
- 100 g de açúcar demerara
- 250 ml de chá-preto frio
- manteiga sem sal, para untar
- 50 g de nozes ou avelãs picadas grosseiramente
- 1 ovo batido
- 200 g de farinha de trigo com fermento

Preparo

1 Misture as frutas secas, o açúcar e o chá e deixe absorver por uma noite. Quando estiverem prontas, preaqueça o forno a 180°C. Unte a fôrma e forre o fundo com papel-manteiga.

2 Acrescente as nozes e o ovo ao chá com as frutas secas e açúcar e misture. Peneire a farinha sobre a mistura e incorpore.

3 Coloque a massa na fôrma e asse por 1 hora ou até a superfície ficar dourada e firme ao toque.

4 Deixe esfriar um pouco na fôrma e desenforme sobre uma grade. Retire o papel-manteiga. Esse bolo fica melhor quando servido fatiado ou tostado com manteiga.

GUARDE O bolo pode ser armazenado em recipiente hermético por até 5 dias.

Bolo leve de frutas

Nem todos apreciam o clássico Bolo de frutas secas, sobretudo depois da refeição em uma data especial. Essa versão mais leve é uma alternativa rápida e fácil à substanciosa receita.

8-12 PORÇÕES | 25 MIN | 1H45 | 8 SEM

Utensílio

1 fôrma redonda de 20 cm

Ingredientes

175 g de manteiga sem sal em temperatura ambiente
175 g de açúcar demerara
3 ovos grandes
250 g de farinha de trigo com fermento peneirada
2-3 colheres (sopa) de leite
300 g de frutas secas variadas (uvas-passas brancas e pretas, groselhas, cerejas e cascas de limão e laranja cristalizadas)

Preparo

1 Preaqueça o forno a 180°C. Unte a fôrma e forre-a com papel-manteiga.

2 Bata a manteiga e o açúcar com a batedeira até obter uma mistura clara e cremosa. Acrescente os ovos, um por vez, adicionando um pouco de farinha de trigo depois de cada adição. Junte o restante da farinha e o leite. Acrescente as frutas secas e misture bem.

3 Passe a massa para a fôrma, nivele a superfície e asse por 1h30-1h45 (faça o teste do palito). Deixe o bolo na fôrma até esfriar completamente. Desenforme e retire o papel-manteiga.

GUARDE O bolo pode ser armazenado em recipiente hermético por até 3 dias.

Bolo de Natal

Essa versão para a clássica receita natalina usa manteiga em vez de gordura animal.

8-10 PORÇÕES | 45 MIN | 8-10 HORAS | 4 SEM

Tempo de hidratação
1 noite

Utensílio
1 fôrma para bolo de 1 kg

Ingredientes
85 g de uva-passa preta
60 g de groselha
100 g de uva-passa branca
45 g de cascas de limão e laranja cristalizadas picadas
115 g de frutas secas variadas, como figos, tâmaras e cerejas
150 ml de cerveja
1 colher (sopa) de uísque ou conhaque
raspas e suco de 1 laranja
raspas e suco de 1 limão-siciliano
85 g de ameixa em calda picada
150 ml de chá-preto
1 maçã sem casca e sementes picada
115 g de manteiga sem sal derretida, mais um pouco para untar
175 g de açúcar mascavo
1 colher (sopa) de melado
2 ovos batidos
60 g de farinha de trigo com fermento
1 colher (chá) de mistura de especiarias (cravo e canela em pó)
115 g de farinha de rosca
60 g de amêndoa em lâminas
brandy butter, creme de leite batido ou creme de baunilha, para acompanhar (opcional)

Acompanhamento (Brandy butter)
50 g de manteiga
110 g de açúcar de confeiteiro
2-3 colheres (sopa) de conhaque

Preparo

1 Em uma tigela, coloque as frutas, a cerveja, o uísque ou conhaque, as raspas e os sucos de laranja e limão e misture bem. Coloque as ameixas em um recipiente e acrescente o chá. Cubra as tigelas e deixe absorver por 1 noite.

2 Drene as ameixas e descarte o chá. Junte as ameixas e a maçã ao restante das frutas e, em seguida, acrescente a manteiga, o açúcar, o melado e os ovos. Misture bem.

3 Peneire a farinha com as especiarias e misture bem a farinha de rosca e as amêndoas.

4 Unte a fôrma e despeje a massa, cobrindo-a com duas camadas de papel-manteiga e uma camada de papel-alumínio. Prenda os papéis na fôrma com um cordão e coloque-a em uma panela com água fervente até a metade da altura da fôrma. Deixe ferver por 8-10 horas.

5 Verifique regularmente se o nível da água não está muito baixo. Sirva com Brandy butter, chantili ou creme de baunilha.

6 Brandy butter: bata a manteiga e o açúcar até obter um creme fofo. Junte o conhaque. Passe para um prato pequeno e deixe em um lugar fresco para endurecer. Antes de servir, polvilhe um pouco de açúcar de confeiteiro sobre a mistura.

GUARDE O bolo pode ser armazenado em recipiente hermético, em local fresco, por até 4 semanas.

DICA DA AUTORA

Quando o bolo estiver em banho-maria, é importante que o nível de água não fique muito baixo. Para evitar isso, coloque um timer para tocar de hora em hora, lembrando você de verificar, ou coloque uma bola de gude na panela, que fará barulho quando o nível da água baixar.

BOLOS PARA CELEBRAR

BOLO DE NATAL

Stollen

Esse pão doce de frutas de origem alemã é servido no Natal e pode ser uma ótima alternativa aos outros bolos servidos na festa.

12 PORÇÕES | 30 MIN | 50 MIN | 4 SEM

Tempo de hidratação
1 noite

Tempo de descanso e crescimento
2h-3h

Utensílio
1 assadeira grande

Ingredientes
200 g de uva-passa
100 g de groselha
100 ml de rum
400 g de farinha de trigo, mais um pouco para polvilhar
2 colheres (chá) de fermento biológico seco
60 g de açúcar
100 ml de leite
½ colher (chá) de extrato de baunilha
uma pitada de sal
½ colher (chá) de mistura de especiarias (cravo e canela em pó)
2 ovos grandes
175 g de manteiga sem sal em temperatura ambiente e cortada em pedaços
200 g de cascas de limão e laranja cristalizadas
100 g de amêndoa moída
açúcar de confeiteiro, para polvilhar

Preparo

1 Coloque as uvas-passas e as groselhas em uma tigela, despeje o rum e deixe absorver por uma noite.

2 No dia seguinte, peneire a farinha em uma tigela, faça uma cova no centro, polvilhe o fermento e adicione uma colher de açúcar. Aqueça o leite até amornar e despeje sobre o fermento. Deixe em temperatura ambiente por 15 minutos ou até começar a fazer espuma.

3 Acrescente o restante do açúcar, a baunilha, o sal, a mistura de especiarias, os ovos e a manteiga. Com uma colher de pau, misture todos os ingredientes e depois sove a massa por 5 minutos até ficar homogênea.

4 Acrescente as cascas de frutas cristalizadas, as uvas-passas, as groselhas e as amêndoas. Sobre uma superfície enfarinhada, sove por alguns minutos até incorporar todos os ingredientes. Coloque a massa novamente na tigela e cubra com filme de PVC. Deixe crescer por 1h-1h30, até dobrar de tamanho.

5 Preaqueça o forno a 160°C. Forre uma assadeira com papel-manteiga. Sobre uma superfície enfarinhada, abra a massa com um rolo e faça um retângulo de cerca de 30 cm x 25 cm. Dobre um dos lados mais compridos, levando-o até um pouco além do meio da massa; em seguida, faça o mesmo com o outro lado, dobrando ligeiramente as pontas para dar forma ao Stollen. Coloque na assadeira, deixe descansar em lugar quente por 1h-1h30 até dobrar de tamanho.

6 Asse por 50 minutos ou até crescer e ficar ligeiramente dourado. Depois de 30-35 minutos, verifique o cozimento: caso já esteja muito dourado, cubra com papel-alumínio. Depois de assado, coloque sobre uma grade para esfriar completamente e polvilhe uma farta camada de açúcar de confeiteiro.

GUARDE O Stollen pode ser armazenado em recipiente hermético por até 4 dias.

DICA DA AUTORA

O Stollen pode ser feito com qualquer combinação de frutas secas. Pode ser recheado também com marzipã ou creme de amêndoas. Fica muito bom no café da manhã, levemente tostado, com manteiga.

Rocambole de castanha e chocolate

Perfeito para uma comemoração no inverno, tem recheio de purê de castanhas e creme de leite.

8-10 PORÇÕES | 50-55 MIN | 5-7 MIN | 8 SEM, S/ RECHEIO

Utensílios
1 fôrma de 30 cm x 37 cm
saco de confeitar com bico estrela

Ingredientes
manteiga, para untar
35 g de cacau em pó
1 colher (sopa) de farinha de trigo
uma pitada de sal
5 ovos separados
150 g de açúcar

Recheio
125 g de purê de castanhas
2 colheres (sopa) de rum escuro
175 ml de creme de leite fresco
30 g de chocolate meio amargo em pedaços
açúcar (opcional)

Decoração
125 ml de creme de leite fresco
50 g de açúcar
2 colheres (sopa) de rum
raspas de chocolate meio amargo, para polvilhar

1 Preaqueça o forno a 220°C. Unte a assadeira e forre-a com papel-manteiga.

2 Peneire o cacau, a farinha de trigo e o sal em uma tigela grande e reserve.

3 Bata as gemas com ⅔ do açúcar; estará no ponto quando escorrer, deixando um rastro.

4 Bata as claras em neve. Polvilhe o açúcar restante e bata novamente até ficar brilhante.

5 Peneire ⅓ da mistura de cacau sobre a de gemas. Adicione ⅓ das claras.

6 Incorpore com leveza. Adicione o cacau e as claras restantes em duas etapas.

7 Espalhe a massa na assadeira e nivele a superfície.

8 Asse na parte mais baixa do forno por 5-7 minutos. O bolo cresce e fica firme.

9 Retire o bolo do forno, vire-o sobre um pano de prato úmido e remova o papel-manteiga.

10 Enrole o bolo com o pano, apertando. Deixe esfriar.

11 Misture o purê de castanhas com o rum. Bata o creme de leite até formar picos.

12 Derreta o chocolate em banho-maria. Acrescente à mistura de castanhas.

13 Misture o purê com chocolate ao creme de leite batido. Acrescente açúcar a gosto.

14 Misture 50 g de açúcar com 4 colheres (sopa) de água e ferva. Esfrie e junte o rum.

15 Desenrole o bolo sobre papel-manteiga. Pincele a calda e espalhe o creme.

16 Com o auxílio do papel-manteiga, enrole o bolo recheado o mais apertado possível.

17 Decoração: bata o creme de leite com açúcar até firmar e encha o saco de confeitar.

18 Apare as extremidades do bolo com uma faca e coloque no prato de servir. Decore com o creme do saco de confeitar e raspas de chocolate. Sirva no mesmo dia, é mais saboroso!

Variações de Rocambole de chocolate

Tronco

Um clássico natalino que combina chocolate amargo e framboesas.

10 PORÇÕES | 30 MIN | 12 MIN | 24 SEM

Utensílio
1 fôrma de 20 cm x 28 cm

Ingredientes
3 ovos
85 g de açúcar
85 g de farinha de trigo
3 colheres (sopa) de cacau em pó
½ colher (chá) de fermento em pó
200 ml de creme de leite fresco
140 g de chocolate amargo picado
3 colheres (sopa) de geleia de framboesa
açúcar de confeiteiro, para polvilhar

Preparo

1 Preaqueça o forno a 180°C. Forre a fôrma com papel-manteiga.

2 Bata os ovos com o açúcar e 1 colher (sopa) de água por 5 minutos ou até obter uma mistura clara e fofa. Peneire a farinha, o cacau em pó e o fermento sobre os ovos e misture rápida e cuidadosamente.

3 Coloque a mistura na fôrma e asse por 12 minutos, até ficar firme ao toque. Vire sobre um pedaço de papel-manteiga e retire o que foi utilizado para assar. Enrole o rocambole em novo papel-manteiga e deixe esfriar.

4 Cobertura: coloque o creme de leite em uma panela, deixe ferver e retire do fogo. Acrescente o chocolate picado e espere derreter, mexendo ocasionalmente. Deixe esfriar e endurecer.

5 Desenrole o rocambole e espalhe a geleia sobre a superfície. Distribua ⅓ da cobertura sobre a geleia e enrole de novo. Vire-o, deixando a parte lisa para cima, e espalhe a cobertura. Com um garfo, faça a textura de tronco. Polvilhe açúcar de confeiteiro.

GUARDE O bolo pode ser armazenado na geladeira por até 2 dias.

Rocambole de amaretto e chocolate

Os biscoitos triturados dão uma textura crocante a essa sobremesa maravilhosa. ▶

6-8 PORÇÕES | 25-30 MIN | 20 MIN | 8 SEM, S/ RECHEIO

Utensílio
1 fôrma de 20 cm x 30 cm

Ingredientes
6 ovos grandes separados
150 g de açúcar
50 g de cacau em pó, mais um pouco para polvilhar
açúcar de confeiteiro, para polvilhar
300 ml de creme de leite fresco
2-3 colheres (sopa) de licor amaretto ou conhaque
20 biscoitos amaretti, mais 2 para a cobertura
50 g de chocolate amargo ralado

Preparo

1 Preaqueça o forno a 180°C. Forre a fôrma com papel-manteiga. Coloque as gemas e o açúcar em banho-maria e bata com a batedeira até ficar cremoso. Retire do fogo. Em outra tigela, bata as claras em neve.

2 Peneire o cacau sobre a mistura de ovos e incorpore delicadamente às claras. Coloque a massa na fôrma e nivele a superfície. Asse por 20 minutos ou até ficar firme ao toque. Deixe o rocambole esfriar um pouco antes de virá-lo sobre um papel-manteiga polvilhado com açúcar de confeiteiro. Deixe esfriar por mais 30 minutos.

3 Bata o creme de leite na batedeira até formar picos. Apare as extremidades do bolo e regue com amaretto ou conhaque. Espalhe o creme sobre a superfície e, sobre ele, os biscoitos triturados e boa parte do chocolate ralado.

4 Começando por um dos lados mais curtos, enrole apertado. Coloque sobre um prato com a borda para baixo. Triture os 2 biscoitos para a cobertura e espalhe-os por cima do rocambole. Distribua o chocolate ralado e polvilhe o açúcar de confeiteiro ou o cacau em pó. Melhor servido no mesmo dia.

Rocambole de chocolate e buttercream

Perfeita para uma festa infantil, essa opção é fácil de fazer e sempre faz sucesso entre as crianças!

8-10 PORÇÕES | 20-25 MIN | 10 MIN

Utensílio
1 fôrma de 20 cm x 28 cm

Ingredientes
3 ovos grandes
75 g de açúcar
50 g de farinha de trigo
25 g de cacau em pó

Buttercream
75 g de manteiga em temperatura ambiente
125 g de açúcar de confeiteiro

Preparo

1 Preaqueça o forno a 200°C. Forre a fôrma com papel-manteiga. Coloque uma tigela sobre uma panela com água fervente e bata os ovos e o açúcar por 10 minutos até obter um creme. Retire a tigela da panela, peneire a farinha e o cacau sobre a massa e incorpore com cuidado.

2 Coloque a massa na fôrma e asse por 10 minutos ou até ficar firme ao toque. Cubra com um pano de prato umedecido até esfriar. Vire o bolo sobre papel-manteiga polvilhado com cacau em pó. Retire o papel-manteiga.

3 Buttercream: bata a manteiga até ficar cremosa. Acrescente o açúcar, um pouco por vez, e espalhe o creme sobre o bolo. Enrole usando o papel-manteiga.

GUARDE O rocambole pode ser armazenado na geladeira por até 3 dias.

Bolo Floresta Negra

Revalorizado recentemente, esse clássico da cozinha alemã merece destaque em uma data comemorativa.

8 PORÇÕES | 55 MIN | 40 MIN | 4 SEM

Utensílios

1 fôrma redonda de 23 cm e fundo removível
saco de confeitar com bico estrela

Ingredientes

85 g de manteiga derretida, mais um pouco para untar
6 ovos
175 g de açúcar
125 g de farinha de trigo
50 g de cacau em pó
1 colher (chá) de extrato de baunilha

Recheio e decoração

850 g de cereja em calda drenada (metade picada), mais 6 colheres (sopa) da calda
4 colheres (sopa) de kirsch
600 ml de creme de leite fresco
150 g de chocolate amargo ralado

1 Preaqueça o forno a 180°C. Unte a fôrma e forre-a com papel-manteiga.

2 Coloque os ovos e o açúcar em uma tigela refratária que caiba sobre uma panela.

3 Coloque a tigela sobre uma panela com água fervente. Não deixe que toque a água.

4 Bata até obter uma mistura clara e espessa que deixa um rastro visível ao escorrer.

5 Remova a tigela do calor e bata por mais 5 minutos ou até esfriar um pouco.

6 Peneire a farinha e o cacau juntos sobre a massa e misture com cuidado.

7 Junte a manteiga e a baunilha e misture. Coloque na fôrma e nivele a superfície.

8 Asse por 40 minutos ou até crescer e começar a soltar da fôrma.

9 Vire sobre uma grade, retire o papel-manteiga e cubra com um pano limpo.

10 Deixe esfriar. Corte em três discos com uma faca para pão.

11 Misture a calda das cerejas com o kirsch e umedeça os discos do bolo.

12 Bata o creme de leite até formar picos levemente firmes.

13 Coloque um disco no prato. Espalhe o creme e metade das cerejas picadas.

14 Repita o passo com o segundo disco e cubra com o terceiro (parte lisa para cima).

15 Espalhe creme nas laterais e coloque o restante no saco de confeitar.

16 Com uma espátula, aplique o chocolate ralado nas laterais cobertas de creme.

17 Faça picos de creme com o saco de confeitar e coloque as cerejas no centro.

18 Polvilhe o restante do cacau em pó sobre os picos de creme antes de servir.
PREPARE ANTES O bolo pode ser coberto e armazenado na geladeira por até 3 dias.

Variações de Bolo recheado

Torta alemã com queijo cremoso

Essa sobremesa fica entre o cheesecake e o pão de ló. É uma ótima opção para servir em uma festa, pois pode ser preparada com antecedência.

8-10 PORÇÕES | 40 MIN | 30 MIN

Tempo de refrigeração
3h no mínimo

Utensílio
1 fôrma redonda de 22 cm e fundo removível

Ingredientes
150 g de manteiga ou margarina sem sal em temperatura ambiente, mais um pouco para untar
225 g de açúcar
3 ovos
150 g de farinha de trigo com fermento
1 colher (chá) de fermento em pó
suco e raspas de 2 limões-sicilianos, mais raspas de 1 limão-siciliano para decorar
5 folhas de gelatina
250 ml de creme de leite fresco
250 g de queijo quark (veja a Dica da Autora)
açúcar de confeiteiro, para polvilhar

Preparo

1 Preaqueça o forno a 180°C . Unte a fôrma e forre-a com papel-manteiga.

2 Bata a manteiga ou margarina com 150 g de açúcar. Acrescente os ovos, um por vez, e bata até a mistura ficar homogênea. Peneire a farinha e o fermento e acrescente à mistura de manteiga e ovos com a metade das raspas de limão-siciliano. Coloque a massa na fôrma e asse até crescer. Vire o bolo sobre uma grade. Corte-o em dois discos. Deixe esfriar.

3 Recheio: coloque a gelatina em uma tigela com água fria até ficar macia e flexível. Aqueça o suco de limão-siciliano e retire a panela do fogo. Escorra o excesso de água da gelatina e acrescente ao suco. Dissolva e deixe esfriar.

4 Bata o creme de leite até ficar firme. À parte, misture bem o queijo e o restante das raspas e do açúcar. Coloque o suco com gelatina e bata. Em seguida, incorpore o creme batido.

5 Espalhe o creme sobre um disco de bolo. Corte o outro em oito pedaços e disponha-os sobre o recheio. Leve à geladeira por 3 horas, no mínimo. Polvilhe o açúcar e enfeite com o restante das raspas de limão.

PREPARE ANTES O bolo pode ser feito até 3 dias antes e mantido no refrigerador.

DICA DA AUTORA

Se for difícil encontrar queijo quark, você pode substituí-lo por queijo cottage com baixo teor de gordura. Processe-o para ficar bem pastoso.

Bolo bávaro de framboesa

Se não encontrar as frutas frescas, use as congeladas.

8 PORÇÕES | 55-60 MIN | 20-25 MIN

Tempo de refrigeração
4h

Utensílio
1 fôrma redonda de 22 cm e fundo removível

Ingredientes
60 g manteiga sem sal, mais um pouco para untar
125 g de farinha, mais um pouco para polvilhar
uma pitada de sal
4 ovos batidos
135 g de açúcar
2 colheres (sopa) de kirsch

Creme de framboesa
500 g de framboesa
3 colheres (sopa) de kirsch
200 g de açúcar
250 ml de creme de leite fresco
1 litro de leite
1 fava de baunilha cortada ao meio ou 2 colheres (chá) de extrato de baunilha
10 gemas
3 colheres (sopa) de maisena
10 g de gelatina em pó sem sabor

Preparo

1 Preaqueça o forno a 220°C. Unte a fôrma e forre o fundo com papel-manteiga untado. Polvilhe 2-3 colheres (sopa) de farinha na fôrma. Derreta a manteiga e deixe esfriar. Peneire a farinha e o sal. Bata os ovos com o açúcar na batedeira por 5 minutos.

2 Peneire ⅓ da mistura de farinha sobre a de ovos e misture. Repita o procedimento com os outros ⅔. Acrescente a manteiga derretida e misture. Despeje a massa na fôrma e asse por 20-25 minutos até crescer.

3 Vire o bolo sobre uma grade e deixe esfriar. Retire o papel-manteiga. Com uma faca, nivele o topo e a base para deixar o bolo reto. Corte-o em dois discos iguais. Lave, seque e unte a fôrma. Coloque dentro dela um dos discos e umedeça com 1 colher (sopa) de kirsch.

4 Creme de framboesa: bata ¾ das frutas no liquidificador e passe por uma peneira para tirar as sementes. Incorpore 1 colher (sopa) de kirsch e 100 g de açúcar. À parte, bata o creme de leite em picos suaves.

5 Ferva o leite com a fava de baunilha, se for usá-la. Tire do fogo, tampe e deixe descansar por 10-15 minutos. Retire a fava. Separe ¼ do leite. Junte o açúcar restante ao leite que ficou na panela e mexa bem.

6 Bata as gemas com a maisena. Acrescente o leite ainda quente e bata bem. Leve a mistura ao fogo e mexa sem parar, até ferver. Junte o leite reservado e o extrato de baunilha, se for usá-lo no lugar da fava.

7 Coe o creme, distribuindo-o igualmente em duas tigelas. Deixe esfriar. Em uma delas, misture 2 colheres (sopa) de kirsch.

8 Coloque a gelatina com 4 colheres (sopa) de água em uma panela e deixe por 5 minutos, até amolecer. Leve ao fogo para derreter e misture com o creme da outra tigela e com o purê de framboesas.

9 Ponha a tigela com o creme de framboesas sobre outra com água gelada. Mexa e, quando engrossar, retire. Misture com creme de leite batido e coloque metade na fôrma. Distribua as framboesas inteiras e depois despeje o restante do creme sobre elas. Umedeça o outro disco com 1 colher (sopa) de kirsch.

10 Coloque esse disco sobre o recheio e pressione suavemente. Cubra com filme de PVC e leve à geladeira por, no mínimo, 4 horas, até firmar. Remova o aro da fôrma e coloque o bolo sobre um prato. Decore com framboesas inteiras. Sirva o creme aromatizado com kirsch como acompanhamento.

PREPARE ANTES Pode ser preparado com até 2 dias de antecedência e refrigerado. Tire da geladeira 1 hora antes de servir.

Bienenstich

O nome quer dizer "picada de abelha" em alemão. Diz a lenda que o mel utilizado na receita atraía as abelhas, que picavam quem o preparava.

8-10 PORÇÕES | 20 MIN | 20-25 MIN

Tempo de descanso e crescimento
1h05-1h20

Utensílio
1 fôrma redonda de 20 cm

Ingredientes
140 g de farinha de trigo, mais um pouco para polvilhar
15 g de manteiga sem sal em temperatura ambiente cortada em pedaços, mais um pouco para untar
½ colher (sopa) de açúcar
½ colher (sopa) de fermento biológico seco
uma pitada de sal
1 ovo
óleo, para untar

Glacê
30 g de manteiga
20 g de açúcar
1 colher (sopa) de mel
1 colher (sopa) de creme de leite fresco
30 g de amêndoa em lâminas, mais um pouco para a cobertura
1 colher (chá) de suco de limão-siciliano

Creme de confeiteiro
250 ml de leite integral
25 g de maisena
2 favas de baunilha cortadas ao meio no sentido do comprimento (raspe as sementes com uma faca e adicione-as à mistura)
60 g de açúcar
3 gemas
25 g de manteiga sem sal cortada em cubos

Preparo

1 Peneire a farinha em uma tigela. Rapidamente desfaça a manteiga com a ponta dos dedos, acrescente o açúcar, o fermento e o sal e misture bem. Acrescente o ovo e adicione a quantidade de água necessária para fazer uma massa macia.

2 Sove a massa sobre uma superfície enfarinhada por 5-10 minutos ou até ficar homogênea, elástica e de aspecto brilhante. Coloque a massa em uma tigela untada, cubra com filme de PVC e deixe crescer em lugar quente por 45-60 minutos ou até dobrar de tamanho.

3 Unte a fôrma e forre o fundo com papel-manteiga. Volte a sovar a massa e abra um círculo que caiba na fôrma. Acomode-a, cubra com filme de PVC e deixe crescer por 20 minutos.

4 Glacê: derreta a manteiga em uma panela, em seguida adicione o açúcar, o mel e o creme de leite. Leve ao fogo baixo até o açúcar dissolver. Aumente o fogo e ferva por 3 minutos; em seguida, retire a panela do fogo e acrescente as amêndoas e o suco de limão-siciliano. Deixe esfriar.

5 Preaqueça o forno a 190°C. Espalhe o glacê sobre a massa, deixe crescer por mais 10 minutos e então leve ao forno por 20-25 minutos. Se começar a dourar muito rápido, cubra com papel-alumínio. Deixe esfriar na fôrma por 30 minutos; em seguida, coloque o bolo sobre uma grade.

6 Creme de confeiteiro: em uma panela de fundo duplo ou triplo, coloque o leite, a maisena, as favas e as sementes de baunilha e metade do açúcar. Leve ao fogo baixo. Em uma tigela, bata as gemas com o restante do açúcar. Sem parar de bater, acrescente o leite quente devagar. Despeje a mistura novamente na panela, bata até levantar fervura e retire do fogo.

7 Imediatamente, coloque a panela em um recipiente com água gelada e retire as favas de baunilha. Quando o creme estiver frio, adicione a manteiga e bata vigorosamente, até ficar liso e brilhante.

8 Corte o bolo e recheie com o creme de confeiteiro. Cubra com mais amêndoas em lâminas e sirva.

DICA DA AUTORA

Esse clássico da cozinha alemã leva tradicionalmente o creme de confeiteiro, um recheio leve e elegante que é um verdadeiro deleite! Entretanto, se você tem pouco tempo, uma saída mais rápida é recheá-lo com chantili perfumado com ½ colher (chá) de extrato de baunilha.

Kugelhopf

Esse clássico da Alsácia leva uvas-passas e amêndoas picadas. O açúcar de confeiteiro polvilhado já sugere a doçura do recheio.

1 UNID | 45-50 MIN | 45-50 MIN | 8 SEM

Tempo de descanso e crescimento
2h-2h30

Utensílio
1 fôrma com capacidade para 1 kg com furo no meio

Ingredientes
150 ml de leite
2 colheres (sopa) de açúcar cristal
150 g de manteiga sem sal cortada em cubos, mais um pouco para untar
1 colher (sopa) de fermento biológico seco
500 g de farinha de trigo
1 colher (chá) de sal
3 ovos batidos
90 g de uva-passa
60 g de amêndoa sem pele picada, mais 7 amêndoas inteiras
açúcar de confeiteiro, para polvilhar

Preparo

1 Ferva o leite em uma panela. Em uma tigela, coloque 4 colheres (sopa) do leite quente e deixe amornar. Acrescente o açúcar e a manteiga ao restante do leite na panela e mexa até derreter. Deixe esfriar.

2 Esfarele o fermento na tigela com o leite e deixe por 5 minutos até dissolver, mexendo uma vez. Peneire a farinha e o sal em uma tigela e acrescente o fermento dissolvido, os ovos e a mistura de leite, açúcar e manteiga.

3 Incorpore a farinha gradualmente até obter uma massa homogênea. Misture por 5-7 minutos até ficar elástica e pegajosa. Cubra com um pano de prato úmido e deixe crescer em lugar quente por 1h-1h30 ou até dobrar de tamanho.

4 Enquanto isso, unte a fôrma com manteiga. Coloque no congelador até a manteiga ficar dura (cerca de 10 minutos) e torne a untá-la. Coloque água quente sobre as uvas-passas e deixe que absorvam o líquido.

5 Bata levemente na massa com a mão para tirar o ar. Drene as uvas-passas, reservando 7 delas, e acrescente o restante à massa, junto com as amêndoas picadas. Disponha as uvas-passas e as amêndoas reservadas no fundo da fôrma.

6 Coloque a massa na fôrma, cubra com um pano de prato e deixe crescer em lugar quente por 30-40 minutos até cobrir toda a fôrma. Preaqueça o forno a 190°C

7 Asse o Kugelhopf até estufar e dourar; a massa começa a soltar dos lados da fôrma, o que leva 45-50 minutos. Deixe esfriar ligeiramente. Desenforme sobre uma grade. Antes de servir, polvilhe açúcar de confeiteiro.

GUARDE O Kugelhopf pode ser armazenado em recipiente hermético por até 3 dias.

DICA DA AUTORA

A massa do Kugelhopf é muito pegajosa. É natural que você queira acrescentar mais farinha, para que fique parecida com a consistência a que está acostumado. Resista: o excesso de farinha o deixa duro.

Mil-folhas de castanha-portuguesa

Fácil de fazer, essa sobremesa gelada pode ser preparada com 6 horas de antecedência e é sucesso garantido.

8 PORÇÕES | 2H | 25-30 MIN

Tempo de refrigeração
1h

Utensílio
1 assadeira antiaderente

Ingredientes
375 ml de leite
4 gemas
60 g de açúcar cristal
3 colheres (sopa) de farinha de trigo peneirada
3 colheres (sopa) de rum escuro
600 g de massa folhada comprada pronta
250 ml de creme de leite fresco
500 g de castanha-portuguesa grosseiramente picada
45 g de açúcar de confeiteiro, mais um pouco, se necessário

1 Esquente o leite em fogo médio até começar a ferver. Tire do fogo.

2 Bata as gemas e o açúcar cristal por 2-3 minutos, até engrossar. Misture à farinha.

3 Acrescente o leite à mistura aos poucos, até obter um creme. Coloque em uma panela.

4 Deixe ferver, mexendo até engrossar. Reduza para fogo baixo e bata por 2 minutos.

5 Se formar grumos, retire do fogo e bata até ficar homogêneo.

6 Deixe esfriar e misture o rum. Gele por 1 hora em tigela coberta com filme de PVC.

7 Preaqueça o forno a 200°C. Respingue água fria em uma assadeira.

8 Abra a massa em um retângulo maior que a assadeira com 3 mm de espessura.

9 Enrole a massa no rolo e desenrole-a na assadeira. Deixe as bordas penduradas.

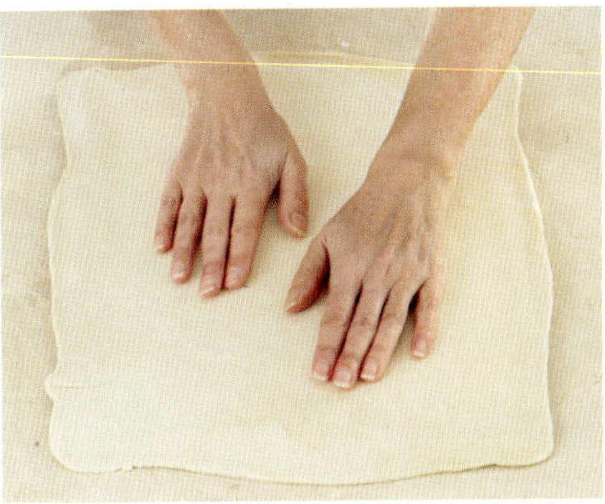

10 Pressione a massa na assadeira e refrigere por 15 minutos.

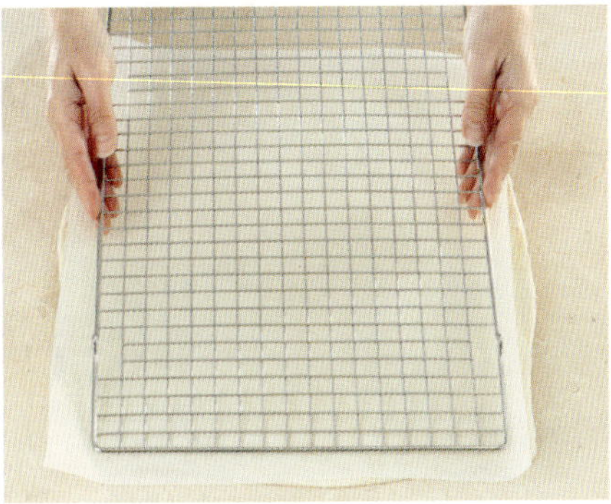

11 Fure-a com um garfo. Cubra com papel--manteiga e coloque uma grade em cima.

12 Asse por 15-20 minutos. Retire do forno, remova a grade e vire a massa sobre o papel.

13 Coloque a assadeira por baixo do papel e asse por mais 10 minutos.

14 Retire do forno e, com cuidado, deslize a massa sobre uma tábua de cortar.

15 Com a massa ainda quente, apare as bordas.

16 Corte a massa em três partes iguais no sentido da largura. Deixe esfriar.

17 Bata o creme de leite fresco até obter um ponto firme.

18 Misture o creme de leite batido ao creme com rum gelado.

19 Distribua metade do creme sobre uma das camadas de massa.

20 Espalhe metade das castanhas--portuguesas. Faça outra camada igual.

21 Coloque a última camada e polvilhe o açúcar de confeiteiro. Corte em fatias.

Variações de Mil-folhas

Mil-folhas de chocolate

Recheado com creme de chocolate meio amargo e decorado com fios de chocolate branco, esse mil-folhas pode ser refrigerado por 6 horas.

8 PORÇÕES | 2H | 25-30 MIN

Tempo de refrigeração
1h

Utensílio
1 assadeira grande

Ingredientes
2 colheres (sopa) de brandy
1 receita de creme gelado (ver p. 88, passos 1-5)
600 g de massa folhada comprada pronta
375 g de creme de leite fresco
50 g de chocolate meio amargo derretido
30 g de chocolate branco derretido

Preparo

1 Misture o brandy ao creme gelado, cubra com filme de PVC e refrigere por 1 hora. Preaqueça o forno a 200°C.

2 Respingue água gelada na assadeira. Abra a massa folhada em um retângulo maior que a assadeira. Com a ajuda de um rolo, coloque a massa na assadeira, deixando as bordas penduradas. Pressione a massa e refrigere por 15 minutos. Fure-a com um garfo, cubra com papel-manteiga e coloque uma grade em cima. Asse por 15-20 minutos, até dourar. Tire a grade, vire a massa com ajuda do papel e deslize-a de volta para a assadeira. Asse por mais 10 minutos até dourar. Retire do forno e deslize a massa sobre uma tábua de cortar. Apare as bordas da massa ainda quente e corte-a em três partes iguais. Deixe esfriar.

3 Bata o creme de leite fresco até ficar firme. Misture com o creme gelado e ⅔ do chocolate meio amargo já frio. Cubra e refrigere. Espalhe o restante do chocolate sobre uma das massas. Reserve.

4 Coloque outro pedaço da massa em um prato e espalhe metade do creme de chocolate. Cubra com a terceira massa, espalhe o creme restante e coloque por cima o pedaço coberto com o chocolate derretido.

5 Coloque o chocolate branco já frio em um saco plástico e faça um pequeno furo na ponta. Faça linhas sobre a massa do topo.

PREPARE ANTES Conserva-se sob refrigeração por até 6 horas antes de servir.

Fatias de mil-folhas

Uma sobremesa clássica feita com creme e geleia.

6 UNID | 2H | 25-30 MIN

Tempo de refrigeração
1h

Utensílios
1 assadeira grande
1 saco de confeiteiro com bico fino

Ingredientes
250 ml de creme de leite fresco
1 receita de creme gelado (ver p. 88, passos 1-5)
600 g de massa folhada comprada pronta
100 g de açúcar de confeiteiro
1 colher (chá) de cacau em pó
½ vidro de geleia de morango ou framboesa

Preparo

1 Bata o creme de leite até obter um ponto firme. Misture ao creme gelado e refrigere. Preaqueça o forno a 200°C. Respingue água gelada na assadeira. Abra a massa em um retângulo maior que a assadeira. Com a ajuda de um rolo, coloque a massa na assadeira, deixando as bordas penduradas. Pressione a massa na fôrma e refrigere por 15 minutos.

2 Fure a massa com um garfo. Cubra com papel-manteiga e coloque uma grade por cima. Asse por 15-20 minutos, até dourar. Segurando a grade, vire a massa. Com a ajuda do papel, deslize a massa de volta para a fôrma e asse por mais 10 minutos, até dourar. Retire do forno e corte retângulos de 5 cm x 10 cm sobre uma tábua, enquanto a massa ainda estiver quente.

3 Cobertura: misture o açúcar de confeiteiro com 1-1½ colher (sopa) de água fria. Separe 2 colheres (sopa) e misture com o cacau para fazer um pouco de cobertura de chocolate. Coloque essa cobertura no saco de confeitar. Espalhe sobre ⅓ dos retângulos. Enquanto ainda estiver úmida, use o saco para fazer linhas horizontais sobre a cobertura branca. A seguir, com um palito, faça linhas verticais. Deixe secar.

4 Espalhe geleia nos pedaços de massa que sobraram. Depois, coloque uma camada de 1 cm do creme gelado sobre a geleia. Acerte as bordas com uma faca.

5 Para montar as fatias, pegue um pedaço de massa folhada com geleia e creme e, com cuidado, coloque outro por cima. Pressione levemente com o terceiro pedaço de massa decorado com a cobertura.

PREPARE ANTES Pode ser mantido sob refrigeração por 6 horas.

Mil-folhas de frutas vermelhas

Uma sobremesa linda para servir em ocasiões ao ar livre. ▶

8 PORÇÕES | 2H | 25-30 MIN

Tempo de refrigeração
1h

Utensílio
1 assadeira grande

Ingredientes
1 receita de creme gelado (ver p. 88, passos 1-5)
600 g de massa folhada comprada pronta
250 ml de creme de leite fresco
400 g de morango e framboesa picados
açúcar de confeiteiro, para polvilhar

Preparo

1 Preaqueça o forno a 200°C. Respingue água gelada na assadeira. Abra a massa folhada em um retângulo maior que a assadeira com cerca de 3 mm de espessura. Enrole a massa no rolo e desenrole-a na assadeira, deixando as bordas para fora. Pressione a massa e leve à geladeira por 15 minutos.

2 Fure a massa com um garfo, cubra com papel-manteiga e coloque uma grade por cima. Asse por 15-20 minutos, até começar a dourar. Segurando a grade e o papel, vire a massa sobre a assadeira. Asse por 10 minutos, até dourar. Tire do forno e deslize a massa para uma tábua. Ainda quente, apare as bordas e corte a massa em três partes. Deixe esfriar.

3 Bata o creme de leite fresco até firmar e misture ao creme gelado. Cubra um pedaço de massa com a mistura de creme e espalhe metade das frutas. Coloque mais uma camada de massa e cubra com o creme e as frutas. Coloque a terceira camada por cima, pressionando um pouco. Polvilhe o açúcar de confeiteiro.

PREPARE ANTES Essa sobremesa pode ser conservada sob refrigeração por 6 horas.

DICA DA AUTORA

Quando dominar a arte de fazer mil-folhas, há inúmeras variações possíveis: em formato grande para dispor no centro de um bufê, porções individuais para um chá da tarde, e com o recheio que preferir para servir em lanches.

pequenas delícias

Cupcake de creme de baunilha

A massa densa desses bolinhos permite combiná-los com coberturas elaboradas.

24 PORÇÕES | 20 MIN | 20-25 MIN | 4 SEM, S/ COBERT

Utensílios

2 assadeiras com capacidade para 12 cupcakes
24 forminhas de papel para cupcakes
saco de confeitar com bico estrela

Ingredientes

200 g de farinha de trigo peneirada
2 colheres (chá) de fermento em pó
200 g de açúcar
½ colher (chá) de sal
100 g de manteiga sem sal em temperatura ambiente
3 ovos
150 ml de leite
1 colher (chá) de extrato de baunilha

Cobertura

200 g de açúcar de confeiteiro
1 colher (chá) de extrato de baunilha
100 g de manteiga sem sal em temperatura ambiente
açúcar granulado

1 Preaqueça o forno a 180°C. Coloque os cinco primeiros ingredientes em uma tigela.

2 Trabalhe com a ponta dos dedos até obter uma mistura que pareça feita de farelos.

3 Em outra tigela, bata com a batedeira os ovos, o leite e a baunilha.

4 Despeje lentamente a mistura de ovos nos ingredientes secos, sem parar de bater.

5 Deixe a mistura homogênea, mas sem bater em excesso, pois isso endurece a massa.

6 Coloque toda a massa em uma jarra com bico, para facilitar o trabalho.

7 Forre as cavidades das fôrmas para cupcakes com as forminhas de papel.

8 Despeje a massa nas forminhas, apenas até a metade.

9 Asse por 20-25 minutos, até que os cupcakes fiquem firmes ao toque.

10 Faça o teste inserindo um espeto de metal no centro de cada cupcake.

11 Se e espeto não sair limpo, volte ao forno, asse mais um pouco e repita o teste.

12 Deixe os cupcakes por alguns minutos na fôrma e depois coloque-os sobre uma grade.

13 Cobertura: junte o açúcar de confeiteiro, o extrato de baunilha e a manteiga.

14 Com a batedeira, bata por 5 minutos, até obter uma mistura clara e fofa.

15 Os cupcakes devem estar frios. Caso contrário, a cobertura derreterá.

16 Coloque 1 colher (chá) de cobertura sobre cada um deles.

17 Espalhe com a colher; passe-a em água quente antes de alisar a superfície.

18 Para obter um acabamento mais profissional, use o saco de confeitar.

19 Esprema o saco de confeitar com uma mão e com a outra segure o cupcake.

20 Faça uma espiral, começando nas bordas e terminando no centro, com um pico.

21 Salpique açúcar granulado. **GUARDE** Em recipiente hermético, por até 3 dias.

Variações de Cupcake

Cupcake de chocolate

A receita dos clássicos cupcakes de chocolate não pode faltar: são sucesso garantido nas festas infantis.

24 UNID | 20 MIN | 20-25 MIN | 4 SEM, S/ COBERT

Utensílios
2 assadeiras com capacidade para 12 cupcakes
24 forminhas de papel para cupcakes
saco de confeitar com bico estrela

Ingredientes
200 g de farinha de trigo
2 colheres (chá) de fermento em pó
4 colheres (sopa) de cacau em pó
200 g de açúcar
100 g de manteiga sem sal em temperatura ambiente
½ colher (chá) de sal
3 ovos
150 ml de leite
1 colher (chá) de extrato de baunilha
1 colher (sopa) de coalhada fresca ou iogurte natural

Cobertura
100 g de manteiga sem sal em temperatura ambiente
175 g de açúcar de confeiteiro
25 g de cacau em pó

Preparo

1 Preaqueça o forno a 180°C. Peneire a farinha, o fermento e o cacau. Misture o açúcar, a manteiga e o sal até obter uma massa seca que esfarela. À parte, bata os ovos, o leite, a baunilha e a coalhada ou o iogurte.

2 Despeje a mistura de ovos sobre a de farinha e misture bem. Coloque as forminhas nas assadeiras e complete com a massa até a metade.

3 Asse por 20-25 minutos, até os cupcakes ficarem firmes ao toque. Deixe esfriar e depois coloque-os sobre uma grade.

4 Cobertura: bata bem a manteiga, o açúcar de confeiteiro e o cacau em pó.

5 Cubra os cupcakes usando as costas de uma colher mergulhada em água quente para alisar o creme, ou use o saco de confeitar.

GUARDE Os cupcakes conservam-se bem em recipiente hermético por 3 dias.

Cupcake de limão

Nessa receita, o limão-siciliano aromatiza a massa básica.

24 UNID | 20 MIN | 20-25 MIN | 4 SEM, S/ COBERT

Utensílios
2 assadeiras com capacidade para 12 cupcakes
24 forminhas de papel para cupcakes
saco de confeitar com bico estrela

Ingredientes
200 g de farinha de trigo
2 colheres (chá) de fermento em pó
200 g de açúcar
½ colher (chá) de sal
100 g de manteiga sem sal em temperatura ambiente
3 ovos
150 ml de leite
raspas e suco de 1 limão-siciliano

Cobertura
200 g de açúcar de confeiteiro
100 g de manteiga sem sal em temperatura ambiente

Preparo

1 Preaqueça o forno a 180°C. Peneire a farinha e o fermento em uma tigela. Junte o açúcar, o sal e a manteiga. Misture até obter uma massa seca que esfarela. À parte, bata os ovos e o leite.

2 Junte a mistura de leite aos farelos e obtenha uma massa homogênea. Incorpore metade das raspas e todo o suco de limão. Misture bem. Ponha as forminhas nas assadeiras e despeje a massa até a metade. Asse por 20-25 minutos até ficarem firmes ao toque. Deixe esfriar.

3 Cobertura: bata o açúcar de confeiteiro, a manteiga e o restante das raspas de limão até obter uma mistura homogênea. Espalhe com as costas de uma colher ou use o saco de confeitar.

DICA DA AUTORA

Se você preferir que os cupcakes cresçam mais, use farinha com fermento e adicione apenas 1 colher (chá) de fermento em pó à massa.

Cupcake de nozes e café

Nessa receita para adultos, café e nozes compõem um sabor intenso.

24 UNID | 20 MIN | 20-25 MIN | 4 SEM, S/ COBERT

Utensílios

2 assadeiras com capacidade para 12 cupcakes
24 forminhas de papel para cupcakes
saco de confeitar com bico estrela

Ingredientes

200 g de farinha de trigo
2 colheres (chá) de fermento em pó
200 g de açúcar
½ colher (chá) de sal
100 g de manteiga sem sal em temperatura ambiente
3 ovos
150 ml de leite
1 colher (sopa) de café feito com 1 colher (sopa) de água fervente ou 1 colher (sopa) de café expresso
100 g de nozes picadas

Cobertura

200 g de açúcar de confeiteiro
100 g de manteiga sem sal em temperatura ambiente
1 colher (chá) de essência de baunilha

Preparo

1 Preaqueça o forno a 180°C. Peneire a farinha e o fermento. Com as mãos, misture o açúcar, o sal e a manteiga até esfarelar. Em uma tigela, bata bem os ovos e o leite.

2 Junte a mistura de ovos à de farinha, mais metade do café frio e mexa até uniformizar. Passe as nozes em um pouco de farinha e acrescente-as à massa. Coloque as forminhas nas assadeiras e despeje a massa até a metade. Asse por 20-25 minutos até os cupcakes ficarem dourados e firmes ao toque. Deixe esfriar.

3 Cobertura: bata bem o açúcar de confeiteiro, a manteiga, a baunilha e o restante do café frio até obter um creme liso. Espalhe com as costas de uma colher ou use o saco de confeitar. Enfeite os cupcakes com um pedaço de noz.

Minibolo fondant

Lindos para o olhar e deliciosos para o paladar, esses delicados bolinhos são perfeitos para uma festa ou para a hora do chá.

16 UNID | 20-25 MIN | 25 MIN

Utensílios
1 fôrma quadrada de 20 cm
1 assadeira grande
16 forminhas quadradas de papel

Ingredientes
175 g de manteiga sem sal em temperatura ambiente, mais um pouco para untar
175 g de açúcar
3 ovos grandes
1 colher (chá) de extrato de baunilha
175 g de farinha de trigo com fermento peneirada
2 colheres (sopa) de leite
2-3 colheres (sopa) de geleia de framboesa ou cereja

Buttercream
75 g de manteiga sem sal em temperatura ambiente
150 g de açúcar de confeiteiro

Cobertura
suco de ½ limão-siciliano
450 g de açúcar de confeiteiro
1-2 gotas de corante alimentício cor-de-rosa
confeitos em forma de flor, para decorar (opcional)

Preparo

1 Preaqueça o forno a 190°C. Unte a fôrma e forre o fundo com papel-manteiga. Em uma tigela grande, bata a manteiga e o açúcar até obter uma mistura clara e fofa. Reserve.

2 Bata ligeiramente os ovos e a baunilha em outra tigela grande. Acrescente ¼ da mistura de ovos e 1 colher (sopa) de farinha de trigo à mistura de manteiga e bata bem. Junte o restante da mistura de ovos, um pouco por vez, e continue a bater. Acrescente o restante da farinha e o leite e incorpore delicadamente.

3 Despeje a massa na fôrma preparada e asse no centro do forno por cerca de 25 minutos ou até que fique levemente dourada e firme ao toque. Retire do forno, deixe esfriar na fôrma por 10 minutos e então desenforme sobre uma grade, para que esfrie completamente. Retire o papel-manteiga utilizado para assar.

4 Buttercream: bata bem a manteiga e o açúcar até obter um creme liso. Reserve. Com uma faca de pão, corte o bolo ao meio, na horizontal. Espalhe a geleia de frutas sobre uma das metades e o creme de manteiga sobre a outra. Ponha uma parte sobre a outra, unindo os dois recheios. Corte o bolo em dezesseis quadrados iguais.

5 Cobertura: coloque o suco de limão-siciliano em uma jarra medidora e complete até a marca de 60 ml com água quente. Dissolva o açúcar de confeiteiro, mexendo sempre, e acrescente mais água quente, se necessário, até obter uma mistura homogênea. Adicione o corante cor-de-rosa e misture bem.

6 Use uma espátula de metal para transferir os quadrados para uma grade colocada sobre a assadeira (ela comportará os pingos de glacê que cairão). Despeje o glacê sobre os bolinhos, cobrindo-os por inteiro, ou cubra apenas o topo, deixando que a cobertura escorra um pouco, deixando aparentes as camadas de bolo. Decore com os confeitos e deixe secar por cerca de 15 minutos. Use uma espátula limpa para colocar os bolinhos nas forminhas de papel.

GUARDE Os bolinhos podem ser armazenados na geladeira por 1 dia.

DICA DA AUTORA

Para uma versão de chocolate, gele bem os quadrados recheados e espete-os com um palito para coquetel. Mergulhe o quadrado de bolo em uma tigela com chocolate amargo derretido (250 g). Deixe secar em uma grade e depois decore com riscos de chocolate branco derretido (50 g).

MINIBOLO FONDANT

Cake ball de chocolate

Essa receita original dos Estados Unidos é muito simples e pode ser feita com bolos prontos ou com sobras.

20-25 UNID | **35 MIN** | **25 MIN** | **4 SEM, S/ COBERT**

Tempo de refrigeração
3h ou 30 min no freezer

Utensílios
1 fôrma redonda de 18 cm
processador de alimentos
balança
2 assadeiras grandes

Ingredientes
100 g de manteiga ou margarina sem sal em temperatura ambiente, mais um pouco para untar
100 g de açúcar
2 ovos
80 g de farinha de trigo com fermento
20 g de cacau em pó
1 colher (chá) de fermento em pó
1 colher (sopa) de leite, mais um pouco, se necessário
150 g de cobertura de chocolate pronta (ou use a receita do recheio e cobertura do Bolo fudge de chocolate, p. 46)
250 g chocolate amargo para cobertura
50 g de chocolate branco

1 Preaqueça o forno a 180°C. Unte a fôrma e forre-a com papel-manteiga.

2 Bata a manteiga e o açúcar na batedeira até obter uma mistura fofa.

3 Acrescente os ovos, um por vez, batendo bem depois de cada adição.

4 Peneire sobre a mistura a farinha, o cacau e o fermento. Incorpore bem.

5 Acrescente apenas a quantidade suficiente de leite para deixar a massa mais leve.

6 Distribua a massa na fôrma e asse por 25 minutos, até ficar firme ao toque.

7 Faça o teste com um espeto para ver se está assado. Desenforme o bolo sobre uma grade.

8 Processe o bolo frio. Coloque 300 g das migalhas em uma tigela.

9 Acrescente a cobertura de chocolate e misture até obter uma massa homogênea.

10 Com as mãos, faça bolinhas do tamanho de uma noz.

11 Leve-as à geladeira por 3 horas ou ao freezer por 30 minutos, até ficarem firmes.

12 Prepare as assadeiras. Derreta o chocolate conforme as instruções da embalagem.

13 Coloque as bolinhas no chocolate derretido. Se quebrarem, faça uma por vez.

14 Com dois garfos, gire-as no chocolate até que fiquem cobertas. Deixe escorrer o excesso.

15 Coloque as bolinhas nas assadeiras e deixe secar.

16 Derreta o chocolate branco em uma tigela sobre uma panela de água fervente.

17 Com uma colher, decore as bolinhas com chocolate branco.

18 Deixe o chocolate branco secar completamente antes de servir.
GUARDE As bolinhas podem ser armazenadas em recipiente hermético por até 3 dias.

Variações de Cake ball

Cake pop de creme e morango

Essas bolinhas são um atrativo fantástico e delicioso para servir em uma festa infantil. Você também pode usá-las para enfeitar um bolo de aniversário.

20-25 UNID | 20 MIN | 25 MIN | 4 SEM, S/ COBERT

Tempo de refrigeração
3h ou 30 min no freezer

Utensílios
1 fôrma redonda de 18 cm
processador de alimentos
balança
25 espetos de bambu com cerca de 10 cm de comprimento
2 assadeiras grandes

Ingredientes
100 g de manteiga ou margarina sem sal em temperatura ambiente, mais um pouco para untar
100 g de açúcar
2 ovos
100 g de farinha de trigo com fermento
1 colher (chá) de fermento
150 g de Buttercream de baunilha (ver pp. 108-9)
2 colheres (sopa) de geleia de morango sem pedaços de fruta e de boa qualidade
250 g de chocolate branco para cobertura

Preparo

1 Preaqueça o forno a 180°C. Unte a fôrma e forre-a com papel-manteiga. Bata a manteiga ou a margarina com o açúcar. Acrescente os ovos, um por vez, até obter um creme homogêneo. Peneire a farinha e o fermento sobre a mistura e incorpore.

2 Coloque a massa na fôrma e asse por 25 minutos, até ficar firme ao toque. Desenforme sobre uma grade. Retire o papel-manteiga.

3 Quando o bolo esfriar, processe até obter migalhas. Coloque 300 g do bolo processado em uma tigela. Acrescente o buttercream e a geleia e misture bem. Com as mãos, faça bolinhas do tamanho de uma noz. Coloque cada uma na ponta de um espeto. Leve à geladeira por 3 horas ou ao freezer por 30 minutos. Forre duas assadeiras com papel-manteiga.

4 Derreta o chocolate branco para cobertura em banho-maria. Mergulhe as bolinhas no chocolate derretido e gire-as com os palitos, até que fiquem completamente cobertas.

5 Com cuidado, retire-as do chocolate, deixando escorrer o excesso antes de colocá-las na assadeira. Os pirulitos devem ser consumidos no mesmo dia.

DICA DA AUTORA
Para que os pirulitos fiquem com um bom acabamento, deixe-os secar inserindo os espetos de bambu em duas metades de maçã viradas para baixo e colocadas sobre uma assadeira. Eles estarão perfeitos na hora de servir.

Cake ball de Natal

Sirva esses docinhos na época natalina. Eles são uma maneira fácil e prática de aproveitar o que sobrou do Bolo de Natal.

15-20 UNID | 20 MIN | 25 MIN | 4 SEM, S/ COBERT

Tempo de refrigeração
3h ou 30 min no freezer

Utensílios
processador de alimentos
2 assadeiras grandes

Ingredientes
400 g de sobras de Bolo de Natal (ver p. 72)
200 g de chocolate amargo para cobertura
50 g de chocolate branco para cobertura
tirinhas de cascas de frutas cristalizadas (opcional)

Preparo

1 Processe as sobras do Bolo de Natal até obter uma massa homogênea. Com as mãos, faça bolinhas do tamanho de uma noz. Leve as bolinhas ao refrigerador por 3 horas ou ao freezer por 30 minutos até firmarem.

2 Forre as assadeiras com papel-manteiga. Leve o chocolate amargo ao micro-ondas em uma tigela apropriada por 2 minutos, mexendo em intervalos de 30 segundos, até derreter sem esquentar muito. Você pode também derreter o chocolate em banho-maria.

3 Tire as bolinhas do refrigerador, algumas por vez. Mergulhe-as no chocolate derretido, girando-as com dois garfos até que fiquem completamente cobertas. Coloque-as nas assadeiras para secar.

4 Repita a operação até cobrir todas as bolinhas. Trabalhe com rapidez, pois o chocolate endurece e as bolinhas podem se desfazer se ficarem no chocolate por muito tempo.

5 Derreta o chocolate branco para cobertura. Com uma colher (chá), respingue chocolate branco sobre as bolinhas para que pareçam cobertas por um glacê branco ou neve. O chocolate branco pode escorrer pelas laterais, mas não cobrir completamente o chocolate amargo.

6 Se quiser, coloque tirinhas de frutas cristalizadas sobre o chocolate branco, formando uma flor. Deixe o chocolate secar antes de servir.

GUARDE As bolinhas podem ser conservadas na geladeira por até 5 dias.

Cake ball de chocolate branco e coco

Sofisticadas, podem ser servidas como sobremesa em uma festa.

25-30 UNID | 40 MIN | 25 MIN | 4 SEM, S/ COBERT

Tempo de refrigeração
3h ou 30 min no freezer

Utensílios
1 fôrma redonda de 18 cm
processador de alimentos
balança
2 assadeiras grandes

Ingredientes
100 g de manteiga ou margarina sem sal em temperatura ambiente, mais um pouco para untar
100 g de açúcar
2 ovos
100 g de farinha de trigo com fermento
1 colher (chá) de fermento
1 receita de Buttercream de baunilha (ver pp. 108-9)
225 g de coco ralado
250 g de chocolate branco para cobertura

Preparo

1 Preaqueça o forno a 180°C. Unte a fôrma e forre-a com papel-manteiga. Bata a manteiga ou a margarina com o açúcar. Acrescente os ovos, um por vez, até obter um creme claro e fofo. Peneire a farinha e o fermento sobre o creme e incorpore.

2 Coloque a massa na fôrma e asse por 25 minutos até ficar firme ao toque. Desenforme sobre uma grade para esfriar. Retire o papel-manteiga.

3 Processe o bolo quando estiver frio. Coloque 300 g das migalhas em uma tigela. Acrescente o buttercream e 75 g do coco ralado e misture bem.

4 Com as mãos, faça bolinhas do tamanho de uma noz. Leve ao refrigerador por 3 horas ou ao freezer por 30 minutos. Forre as assadeiras com papel-manteiga e coloque o restante do coco em um prato.

5 Derreta o chocolate em banho-maria e mergulhe as bolinhas uma a uma, girando-as com dois garfos para que fiquem completamente cobertas.

6 Passe as bolinhas no coco. Em seguida, coloque-as na assadeira para secar. Trabalhe com rapidez, pois o chocolate endurece e as bolinhas podem se desfazer se deixadas no chocolate por muito tempo.

GUARDE As bolinhas podem ser armazenadas em lugar fresco em recipiente hermético por até 2 dias.

Whoopie pie

Já clássicas, as whoopie pies são fáceis de fazer e agradam a todos.

10 UNID | 40 MIN | 12 MIN | 4 SEM, S/ RECHEIO

Utensílios
assadeiras grandes
descascador de legumes

Ingredientes
175 g de manteiga sem sal em temperatura ambiente
150 g de açúcar demerara
1 ovo grande
1 colher (chá) de extrato de baunilha
225 g de farinha de trigo com fermento
75 g de cacau em pó
1 colher (chá) de fermento em pó
150 ml de leite integral
2 colheres (sopa) de coalhada fresca ou iogurte natural

Buttercream de baunilha
100 g de manteiga sem sal em temperatura ambiente
200 g de açúcar de confeiteiro
2 colheres (chá) de extrato de baunilha
2 colheres (chá) de leite, mais um pouco, se necessário

Para decorar
chocolates branco e amargo
200 g de açúcar de confeiteiro

1 Preaqueça o forno a 180°C. Forre as assadeiras com papel-manteiga.

2 Bata a manteiga e o açúcar na batedeira até obter um creme claro e fofo.

3 Acrescente o ovo e a baunilha ao creme e incorpore.

4 Bata bem para evitar que a massa talhe. Ela deve ficar homogênea.

5 Em uma tigela separada, peneire a farinha de trigo, o cacau e o fermento.

6 Acrescente uma colher bem cheia dos ingredientes secos ao creme e misture.

7 Despeje o leite sem parar de misturar. Repita até usar todo o leite e os ingredientes secos.

8 Junte a coalhada ou o iogurte e incorpore até obter uma massa homogênea.

9 Coloque colheradas de massa sobre as assadeiras. Deve render 20 porções.

10 Deixe espaço entre as porções, pois a massa pode chegar a 8 cm de diâmetro.

11 Mergulhe uma colher em água quente e use as costas para nivelar as superfícies.

12 Asse por 12 minutos (faça o teste do palito). Deixe esfriar sobre uma grade.

13 Misture os ingredientes do buttercream, exceto o leite.

14 Bata por 5 minutos, até a mistura ficar clara e fofa.

15 Se necessário, acrescente um pouco de leite para que fique mais fácil de espalhar.

16 Espalhe 1 colher (sopa) do creme sobre a base dos bolinhos.

17 Junte dois bolinhos pelas bases, apertando levemente para formar as whoopie pies.

18 Decoração: raspe os chocolates branco e amargo com um descascador de legumes.

19 Faça uma pasta espessa com o açúcar de confeiteiro e 1-2 colheres (sopa) de água.

20 Distribua a cobertura por igual na superfície de cada whoopie pie.

21 Salpique os chocolates sobre a cobertura.
GUARDE Conservam-se por até 2 dias.

Variações de Whoopie pie

Whoopie pie doce-salgada

Recheadas com pasta de amendoim, são um vício!

10 UNID | 40 MIN | 12 MIN | 4 SEM, S/ RECHEIO

Utensílios
assadeiras grandes

Ingredientes
175 g de manteiga sem sal em temperatura ambiente
150 g de açúcar demerara
1 ovo grande
1 colher (chá) de extrato de baunilha
225 g de farinha de trigo com fermento
75 g de cacau em pó
1 colher (chá) de fermento em pó
150 ml de leite integral
2 colheres (sopa) de coalhada fresca ou iogurte natural
50 g de cream cheese
50 g de pasta de amendoim
200 g de açúcar de confeiteiro peneirado

Preparo

1 Preaqueça o forno a 180°C. Forre as assadeiras com papel-manteiga. Bata a manteiga e o açúcar até obter um creme claro e fofo. Junte o ovo e a baunilha.

2 Peneire a farinha, o cacau e o fermento. Misture os ingredientes secos, uma colher cheia por vez, e o leite à massa. Junte a coalhada ou o iogurte e misture.

3 Coloque colheradas da massa nas assadeiras, deixando espaço para que se espalhem. Mergulhe uma colher em água quente e use as costas para nivelar as superfícies. Asse por 12 minutos até que tenham crescido. Deixe esfriar sobre uma grade.

4 Recheio: bata bem o cream cheese e a pasta de amendoim. Junte o açúcar e um pouco de leite, se necessário, para tornar o creme mais fácil de espalhar sobre a base dos bolinhos. Feche os whoopie pies unindo as bases cobertas com creme.

GUARDE Essas whoopie pies podem ser armazenadas na geladeira por 1 dia.

Whoopie pie de laranja e chocolate

O sabor do chocolate amargo e a acidez da laranja são uma combinação clássica, muito bem aproveitada aqui. Você pode consumi-las em até 2 dias.

10 UNID | 40 MIN | 12 MIN | 4 SEM, S/ RECHEIO

Utensílios
assadeiras grandes

Ingredientes
275 g de manteiga sem sal em temperatura ambiente
150 g de açúcar demerara
1 ovo grande
2 colheres (chá) de extrato de baunilha
raspas e suco de 1 laranja
225 g de farinha de trigo com fermento
75 g de cacau em pó
1 colher (chá) de fermento em pó
150 ml de leite integral
2 colheres (sopa) de coalhada fresca ou iogurte natural
200 g de açúcar de confeiteiro

Preparo

1 Preaqueça o forno a 180°C. Forre as assadeiras com papel-manteiga. Bata 175 g de manteiga com o açúcar até obter um creme claro e fofo. Junte o ovo, 1 colher (chá) de baunilha e as raspas. Aos poucos, misture ao creme os ingredientes secos e o leite. Incorpore a coalhada ou o iogurte.

2 Coloque colheradas da massa nas assadeiras, deixando espaço entre elas. Mergulhe uma colher em água quente e use-a para nivelar as superfícies. Asse por 12 minutos até crescerem. Coloque-as sobre uma grade.

3 Recheio: bata a manteiga restante, o açúcar de confeiteiro, 1 colher (chá) de baunilha e o suco. Adicione água se necessário e espalhe o creme nas bases. Feche unindo os recheios.

Whoopie pie de coco

Essa variação é simples mas deliciosa, e abusa da afinidade natural do coco com o chocolate. Consuma em até 2 dias.

10 UNID | 40 MIN | 12 MIN | 4 SEM, S/ RECHEIO

Utensílios
assadeiras grandes

Ingredientes
275 g de manteiga sem sal em temperatura ambiente
150 g de açúcar demerara
1 ovo grande
2 colheres (chá) de extrato de baunilha
225 g de farinha de trigo com fermento
75 g de cacau em pó
1 colher (chá) de fermento em pó
150 ml de leite integral, mais um pouco para o recheio
2 colheres (sopa) de coalhada fresca ou de iogurte natural
200 g de açúcar de confeiteiro
5 colheres (sopa) de coco ralado

Preparo

1 Preaqueça o forno a 180°C. Forre as assadeiras com papel-manteiga. Faça um creme claro batendo 175 g de manteiga com o açúcar. Junte o ovo e 1 colher (chá) de baunilha. Peneire a farinha, o cacau e o fermento. Incorpore-os à massa aos poucos, com o leite. Junte a coalhada ou o iogurte.

2 Coloque colheradas da massa nas assadeiras, deixando espaço entre elas. Mergulhe uma colher em água quente e use as costas para nivelar as superfícies. Asse por 12 minutos. Coloque-as sobre uma grade. Amoleça o coco em leite por 10 minutos. Esprema em uma peneira.

3 Recheio: bata o restante da manteiga e da baunilha, o açúcar de confeiteiro e 2 colheres (sopa) de leite. Junte o coco. Recheie e feche unindo os recheios.

Whoopie pie Floresta Negra

Inspirada no célebre bolo, leva cerejas em calda.

10 UNID | 40 MIN | 12 MIN | 4 SEM, S/ RECHEIO

Utensílios
assadeiras grandes

Ingredientes
175 g de manteiga sem sal em temperatura ambiente
150 g de açúcar demerara
1 ovo grande
1 colher (chá) de extrato de baunilha
225 g de farinha de trigo com fermento
75 g de cacau em pó
1 colher (chá) de fermento em pó
150 ml de leite integral
2 colheres (sopa) de coalhada fresca ou de iogurte natural
225 g de cerejas em calda escorridas e picadas
250 g de mascarpone
2 colheres (sopa) de açúcar

Preparo

1 Preaqueça o forno a 180°C. Forre diversas assadeiras com papel-manteiga. Bata 175 g de manteiga com o açúcar até obter um creme. Junte o ovo e a baunilha.

2 Peneire a farinha, o cacau e o fermento. Misture-os com o leite à massa, uma colherada por vez. Junte a coalhada ou o iogurte e misture. Acrescente 100 g das cerejas. Coloque colheradas da massa nas assadeiras, deixando espaço para que se espalhem. Mergulhe uma colher em água quente e use as costas para nivelar as superfícies. Asse por 12 minutos até crescerem. Coloque-as sobre uma grade.

3 Bata as cerejas restantes no liquidificador e faça um purê. Misture-o ligeiramente com o açúcar de confeiteiro e o mascarpone para obter um efeito mesclado. Espalhe o creme sobre as bases. Feche unindo as bases cobertas com creme.

GUARDE Conservam-se em geladeira por 1 dia, mas é melhor comer no mesmo dia.

Whoopie pie de baunilha e morango

Essas whoopie pies coloridas são um acompanhamento sensacional para o chá da tarde. Devem ser consumidas no mesmo dia.

10 UNID | 40 MIN | 12 MIN | 4 SEM, S/ RECHEIO

Utensílios
assadeiras grandes

Ingredientes
175 g de manteiga sem sal em temperatura ambiente
150 g de açúcar demerara
1 ovo grande
1 colher (chá) de extrato de baunilha
225 g de farinha de trigo com fermento
75 g de cacau em pó
1 colher (chá) de fermento em pó
150 ml de leite integral
2 colheres (sopa) de coalhada fresca ou de iogurte natural
150 ml de creme de leite batido ou chantili
250 g de morango cortado em fatias finas
açúcar de confeiteiro, para polvilhar

Preparo

1 Preaqueça o forno a 180°C. Forre as assadeiras com papel-manteiga. Bata a manteiga com o açúcar até obter um creme claro. Junte o ovo e a baunilha. Peneire a farinha, o cacau e o fermento. Misture aos poucos os ingredientes secos e o leite à massa. Junte a coalhada ou o iogurte e misture.

2 Coloque colheradas da massa nas assadeiras, deixando espaço entre elas. Mergulhe uma colher em água quente e use as costas para igualar a superfície das massas. Asse por 12 minutos ou até crescerem. Esfrie sobre uma grade.

3 Espalhe o creme de leite fresco batido e coloque morangos fatiados sobre as bases. Feche unindo os recheios. Polvilhe açúcar de confeiteiro.

Petit gâteau

Considerado uma sobremesa sofisticada, é, na verdade, facílima de ser preparada em casa.

4 UNID | 20 MIN | 5-15 MIN | 1 SEM, S/ ASSAR

Utensílios

4 fôrmas dariole com capacidade para 150 ml cada ou forminhas de louça refratária de 10 cm de diâmetro

Ingredientes

150 g de manteiga sem sal em cubos, mais um pouco para untar
1 colher (sopa) bem cheia de farinha de trigo, mais um pouco para polvilhar as fôrmas
150 g de chocolate amargo de boa qualidade quebrado em pedaços
3 ovos grandes
75 g de açúcar
cacau em pó ou açúcar de confeiteiro, para polvilhar (opcional)
chantili ou sorvete, para acompanhar (opcional)

Preparo

1 Preaqueça o forno a 200°C. Unte o fundo e as laterais das fôrmas. Polvilhe a farinha de trigo, girando para cobrir o fundo e as laterais. Vire-as para eliminar o excesso de farinha. Forre o fundo das fôrmas com discos de papel-manteiga.

2 Derreta o chocolate e a manteiga em banho-maria, mexendo de vez em quando. Tenha cuidado para que o fundo do recipiente não toque a água. Deixe esfriar um pouco.

3 Em uma tigela separada, bata os ovos e o açúcar. Quando a mistura de chocolate e manteiga esfriar, junte a ela os ovos e o açúcar e misture bem. Peneire a farinha sobre essa massa e incorpore delicadamente.

4 Divida a massa entre as fôrmas, prestando atenção para não enchê-las demais. Nesta etapa, a massa crua pode ser levada à geladeira por várias horas, ou mesmo por uma noite, desde que permaneça um tempo em temperatura ambiente antes de ser levada para assar.

5 Asse na grade central do forno por 5-6 minutos se usar as fôrmas dariole, e por 12-15 minutos se usar as fôrmas de louça. As laterais devem estar firmes e o meio, macio ao toque. Passe uma faca cuidadosamente entre as fôrmas e os bolinhos para soltá-los. Coloque o prato de servir sobre a fôrma e vire-a para soltá-los. Com cuidado, retire as fôrmas e o papel--manteiga usado para assar. Repita a operação com todas as fôrmas.

6 Se desejar, polvilhe cacau ou açúcar de confeiteiro e sirva imediatamente, com chantili ou sorvete.

PREPARE ANTES A massa, antes de ser levada ao forno, pode ser conservada sob refrigeração por 1 noite.

DICA DA AUTORA

É fácil acertar a receita de petit gâteau. Como podem ser preparados com 1 dia de antecedência, são uma opção prática para a sobremesa de um jantar. Deixe-os em temperatura ambiente antes de levá-los ao forno; do contrário, demorarão mais tempo para assar.

Muffin de limão-siciliano e mirtilo

Esses muffins levíssimos têm um sabor especial. É melhor servi-los quando ainda estão quentes.

12 UNID | 20-25 MIN | 15-20 MIN | 4 SEM

Utensílios

1 assadeira com capacidade para 12 muffins
12 forminhas de papel para muffins
1 pincel

Ingredientes

60 g de manteiga sem sal
280 g de farinha de trigo
1 colher (sopa) de fermento em pó
uma pitada de sal
200 g de açúcar
1 ovo
raspas e suco de 1 limão-siciliano
1 colher (chá) de extrato de baunilha
250 ml de leite
225 g de mirtilo

1 Preaqueça o forno a 220°C. Derreta a manteiga em uma panela em fogo médio.

2 Peneire a farinha, o fermento e o sal (não use batedeira para fazer muffins).

3 Separe 2 colheres (sopa) de açúcar e junte o restante à farinha. Abra uma cova no centro.

4 Em outra tigela, bata o ovo ligeiramente, apenas até que gema e clara se misturem.

5 Junte a manteiga derretida, as raspas, a baunilha e o leite. Bata até espumar.

6 Lentamente, despeje a mistura na cova da farinha.

7 Aos poucos, incorpore os ingredientes secos, até obter uma massa homogênea.

8 Incorpore delicadamente os mirtilos, tomando cuidado para não danificá-los.

9 Pare assim que estiverem misturados. Não mexa demais, ou os muffins ficarão duros.

10 Coloque as forminhas nas assadeiras e complete $^3/_4$ delas com a massa.

11 Asse por 15-20 minutos até que um espeto inserido no centro de cada muffin saia limpo.

12 Deixe-os esfriar e depois transfira-os para uma grade.

13 Dissolva o açúcar restante no suco de limão-siciliano.

14 Enquanto os muffins ainda estão mornos, mergulhe o topo na mistura de limão.

15 Coloque-os sobre a grade e pincele o restante do suco.

16 Os muffins mornos absorvem melhor a cobertura de limão. **GUARDE** É melhor servi-los ainda quentes, mas podem ser armazenados em recipiente hermético por até 2 dias.

Variações de Muffin

Muffin de chocolate

Esses bolinhos são perfeitos para quem tem desejo de comer chocolate. O iogurte dá uma leveza deliciosa à receita.

12 UNID | 10 MIN | 15 MIN | 8 SEM

Utensílios
1 assadeira com capacidade para 12 muffins
12 forminhas de papel para muffins

Ingredientes
225 g de farinha de trigo
60 g de cacau em pó
1 colher (sopa) de fermento em pó
uma pitada de sal
115 g de açúcar demerara
150 g de chips de chocolate
160 ml de iogurte natural
90 ml de leite
6 colheres (sopa) de óleo de girassol
½ colher (chá) de extrato de baunilha
2 ovos

Preparo

1 Preaqueça o forno a 200°C. Distribua as forminhas na fôrma para muffins e reserve. Peneire a farinha, o cacau, o fermento e o sal em uma tigela. Misture o açúcar e os chips de chocolate e faça uma cova nos ingredientes secos.

2 Bata o iogurte, o leite, o óleo, a baunilha e os ovos e coloque-os na cova. Misture levemente para formar uma massa cheia de pedaços de chocolate. Encha ¾ de cada forminha com a mistura.

3 Asse por 15 minutos ou até que cresçam e fiquem firmes ao toque. Imediatamente, transfira os muffins para uma grade.

GUARDE Os muffins podem ser armazenados em recipiente hermético por até 2 dias.

DICA DA AUTORA

O uso de ingredientes líquidos torna a massa desses muffins mais úmida. Se a receita utilizar óleo, use sempre um leve e sem sabor, como o de girassol ou o de milho, para que o delicioso sabor da massa não seja mascarado pelo do óleo.

Muffin de limão e sementes de linhaça

Receita com um toque crocante.

12 UNID | 20-25 MIN | 15-20 MIN | 4 SEM

Utensílios
1 assadeira com capacidade para 12 muffins
12 forminhas de papel para muffins

Ingredientes
60 g de manteiga sem sal
280 g de farinha de trigo
1 colher (sopa) de fermento em pó
uma pitada de sal
200 g de açúcar, mais 2 colheres (chá) para polvilhar
1 ovo batido
1 colher (chá) de extrato de baunilha
250 ml de leite
2 colheres (sopa) de semente de linhaça
raspas e suco de 1 limão-siciliano

Preparo

1 Preaqueça o forno a 200°C. Derreta a manteiga em uma panela em fogo médio e deixe esfriar. Peneire a farinha, o fermento e o sal em uma tigela. Misture o açúcar e faça uma cova no centro.

2 Coloque o ovo em outra tigela. Adicione a manteiga, a baunilha e o leite e bata levemente até espumar. Misture as sementes de linhaça e as raspas e o suco de limão.

3 Despeje a mistura na cova. Misture bem para deixar a massa uniforme, mas pare assim que estiver homogênea.

4 Distribua as forminhas de papel na fôrma de muffins. Encha-as com a mesma quantidade de massa e polvilhe 2 colheres (chá) de açúcar.

5 Asse por 15-20 minutos ou faça o teste do palito. Deixe-os esfriar ligeiramente e transfira-os (com suas forminhas) para uma grade.

GUARDE Os muffins podem ser armazenados em recipiente hermético por até 2 dias.

Muffin de maçã

Sirva esses bolinhos saudáveis logo que saírem do forno.

12 UNID | 10 MIN | 20-25 MIN | 8 SEM

Utensílios
1 assadeira com capacidade para 12 muffins
12 forminhas de papel para muffins

Ingredientes
1 maçã (gala ou fuji) sem casca nem sementes picada
2 colheres (sopa) de suco de limão-siciliano
115 g de açúcar demerara, mais um pouco para polvilhar
200 g de farinha de trigo
85 g de farinha de trigo integral
4 colheres (chá) de fermento em pó
1 colher (chá) de mistura de especiarias (cravo e canela em pó)
½ colher (chá) de sal
60 g de pecãs picadas
250 ml de leite
4 colheres (sopa) de óleo de girassol
1 ovo batido

Preparo

1 Preaqueça o forno a 200°C. Distribua as forminhas na fôrma para muffins. Coloque a maçã picada e o suco de limão em uma tigela. Adicione 4 colheres (sopa) de açúcar e deixe descansar por 5 minutos.

2 Peneire as duas farinhas, o fermento, a mistura de especiarias e o sal em outra tigela. Aproveite os farelos que tenham ficado na peneira. Misture o restante do açúcar e as pecãs e faça uma cova no centro dos ingredientes secos.

3 Bata levemente o leite, o óleo e o ovo e junte a maçã picada. Despeje os ingredientes líquidos na cova da farinha e misture até obter uma massa com grumos.

4 Encha ¾ de cada forminha com a massa. Asse por 20-25 minutos ou até os muffins ficarem dourados. Transfira-os para uma grade e polvilhe o açúcar. Sirva morno ou frio.

GUARDE Os muffins conservam-se em recipiente hermético por até 2 dias.

Madeleine

Essas delícias elegantes ficaram famosas graças ao escritor francês Marcel Proust, que se sentiu transportado para sua infância ao provar uma.

12 UNID | 15-20 MIN | 10 MIN | 4 SEM

Utensílio

1 assadeira com capacidade para 12 madeleines

Ingredientes

60 g de manteiga sem sal derretida, mais um pouco para untar

60 g de farinha de trigo com fermento peneirada, mais um pouco para polvilhar

60 g de açúcar

2 ovos

1 colher (chá) de extrato de baunilha

açúcar de confeiteiro, para polvilhar

Preparo

1 Preaqueça o forno a 180°C. Pincele a fôrma com manteiga derretida fria e polvilhe um pouco de farinha de trigo. Elimine o excesso de farinha.

2 Bata o açúcar, os ovos e a baunilha na batedeira por 5 minutos, até obter um creme claro e firme.

3 Peneire a farinha sobre a massa e junte a manteiga derretida. Misture os ingredientes delicadamente para manter a mistura aerada.

4 Encha as forminhas com a mistura e asse por 10 minutos. Tire do forno e transfira para uma grade antes de polvilhar o açúcar de confeiteiro.

GUARDE As madeleines podem ser armazenadas em recipiente hermético por 1 dia.

DICA DA AUTORA

Essas pequenas delícias devem ser muito leves. Por isso, ao misturar os ingredientes, deve-se incorporar o máximo de ar possível e tomar cuidado para não perder volume ao acrescentar a farinha à massa.

Scone

Uma das tentações mais gostosas para acompanhar um chá. O iogurte natural os deixa mais leves.

6-8 UNID | 15-20 MIN | 12-15 MIN | 4 SEM

Utensílios

1 assadeira grande
cortador circular de 7 cm

Ingredientes

60 g de manteiga sem sal gelada em pedaços, mais um pouco para untar
250 g de farinha de trigo, mais um pouco para polvilhar
2 colheres (chá) de fermento em pó
½ colher (chá) de sal
130 ml de iogurte natural
60 ml de leite
manteiga, geleia, creme de leite fresco batido ou coalhada, para acompanhar (opcional)

1 Preaqueça o forno a 220°C. Forre uma assadeira com papel-manteiga e unte-o.

2 Peneire a farinha, o fermento e o sal em uma tigela resfriada.

3 Adicione a manteiga. Tente manter os ingredientes frios.

4 Amasse rapidamente para formar uma mistura farelenta e aerada.

5 Faça uma cova no centro e, aos poucos, adicione o iogurte e o leite misturados.

6 Rapidamente, misture a farinha e o leite com um garfo.

7 Trabalhe até formar uma massa. Se ficar muito seca, acrescente um pouco de leite.

8 Sove a massa em superfície enfarinhada por alguns segundos. Deixe-a heterogênea.

9 Abra um círculo de 2 cm de espessura; para manter a massa fria, trabalhe rapidamente.

10 Corte círculos com o cortador (veja a Dica da Autora, p. 124).

11 Junte as sobras de massa e corte mais círculos, até que ela acabe.

12 Coloque os scones na assadeira, deixando 5 cm entre eles.

13 Asse por 12-15 minutos até ficarem bem crescidos e dourados. Os scones devem ser consumidos no dia em que forem assados e ainda quentes, de preferência. Sirva com manteiga, geleia, creme de leite fresco batido ou coalhada.

Variações de Scone

Scone com uva-passa

Sirva esses scones assim que saírem do forno, acompanhados de manteiga ou coalhada.

6 UNID | 15-20 MIN | 12-15 MIN | 4 SEM

Utensílios
1 assadeira grande
1 pincel

Ingredientes
60 g de manteiga sem sal gelada em pedaços, mais um pouco para untar
1 gema, para pincelar
120 ml de iogurte
55 ml de leite
250 g de farinha de trigo, mais um pouco para polvilhar
2 colheres (chá) de fermento em pó
½ colher (chá) de sal
¼ de colher (chá) de bicarbonato de sódio
2 colheres (chá) de açúcar
2 colheres (sopa) de uva-passa preta

Preparo

1 Preaqueça o forno a 220°C e unte a assadeira com manteiga. Bata a gema com 1 colher (sopa) de iogurte e reserve.

2 Peneire juntos a farinha, o fermento, o sal e o bicarbonato. Acrescente o açúcar. Junte a manteiga e amasse com a ponta dos dedos até obter farelos. Acrescente as uvas-passas e o iogurte e o leite misturados. Misture tudo com um garfo.

3 Polvilhe farinha em uma superfície. Coloque a massa sobre ela e corte-a pela metade. Com a mão, forme dois círculos de 15 cm de circunferência e 2 cm de espessura. Corte cada círculo em quatro partes com uma faca afiada. Coloque os pedaços na assadeira, deixando 5 cm de distância entre eles, e pincele a gema.

4 Asse por 12-15 minutos. Deixe os scones por alguns minutos na assadeira e transfira-os para uma grade. É melhor servir ainda mornos.

DICA DA AUTORA

Um dos segredos para se obter scones altos é o modo como são cortados. O ideal é utilizar um cortador afiado, preferivelmente de metal, ou uma faca afiada, como indicado nesta receita. Faça um movimento firme e não gire o cortador.

Scone de queijo e salsinha

A massa básica pode ser adaptada para uma receita salgada.

20 PEQ OU 6 GDE | 20 MIN | 8-10 MIN | 12 SEM

Utensílios
1 cortador circular de 4 cm ou de 6 cm
1 assadeira grande
1 pincel

Ingredientes
óleo, para untar
225 g de farinha de trigo peneirada, mais um pouco para polvilhar
1 colher (chá) de fermento em pó
uma pitada de sal
50 g de manteiga sem sal gelada em pedaços
1 colher (chá) de salsinha desidratada
1 colher (chá) de pimenta-do-reino moída na hora
50 g de queijo cheddar maturado (ou parmesão) ralado
110 ml de leite

Preparo

1 Preaqueça o forno a 220°C e unte uma assadeira. Em uma tigela, misture a farinha, o fermento e o sal. Adicione a manteiga e amasse os ingredientes até obter uma mistura esfarelada.

2 Misture a salsinha, a pimenta e metade do queijo. Adicione leite suficiente para ligar os ingredientes, formando a massa. Reserve o restante do leite para pincelar. Amasse delicadamente para obter uma massa macia.

3 Em uma superfície enfarinhada, abra a massa com cerca de 2 cm de espessura. Corte os scones com o cortador redondo (ver a Dica da Autora). Coloque-os na assadeira, pincele o leite e distribua o restante do queijo sobre os scones.

4 Asse na parte mais alta do forno por 8-10 minutos, até dourarem. Deixe os scones na assadeira por alguns minutos e sirva-os mornos, ou coloque-os sobre uma grade para esfriar. É melhor consumir no mesmo dia.

Shortcake de morango

Perfeito para ser servido como sobremesa de verão.

6 UNID | 15-20 MIN | 12-15 MIN | 4 SEM, S/ RECHEIO

Utensílios
1 cortador circular de 8 cm
1 assadeira grande

Ingredientes
60 g de manteiga sem sal, mais um pouco para untar
250 g de farinha de trigo peneirada, mais um pouco para polvilhar
1 colher (sopa) de fermento em pó
½ colher (chá) de sal
45 g de açúcar
175 ml de creme de leite fresco, mais um pouco, se necessário

Coulis
500 g de morango
2-3 colheres (sopa) de açúcar de confeiteiro
2 colheres (sopa) de kirsch (opcional)

Recheio
500 g de morango fatiado
45 g de açúcar, mais 2-3 colheres (sopa)
250 ml de creme de leite fresco
1 colher (chá) de essência de baunilha

Preparo

1 Preaqueça o forno a 220°C e unte uma assadeira. Misture a farinha, o fermento, o sal e o açúcar. Adicione o creme de leite. Junte a manteiga e amasse com a ponta dos dedos até formar farelos.

2 Faça uma bola e sove sobre uma superfície enfarinhada. Abra um círculo com 1 cm de espessura e corte 6 scones (ver a Dica da Autora). Asse por 12-15 minutos.

3 Coulis: faça um purê de morangos com o açúcar de confeiteiro e o kirsch (opcional).

4 Recheio: misture os morangos e o açúcar. Bata o creme de leite com a baunilha e 2-3 colheres (sopa) de açúcar até ficar firme. Corte os bolos ao meio e recheie com os morangos fatiados e o creme batido. Sirva imediatamente, polvilhados com açúcar e com um pouco de coulis em volta.

Bolinho galês

Essa receita tradicional do País de Gales é preparada em minutos.

24 UNID PEQ | 20 MIN | 16-24 MIN | 4 SEM

Utensílios
1 cortador circular de 5 cm
1 assadeira grande

Ingredientes
200 g de farinha com fermento, mais um pouco para polvilhar
100 g de manteiga sem sal gelada em pedaços, mais um pouco para fritar
75 g de açúcar de confeiteiro, mais um pouco para polvilhar
75 g de uva-passa branca
1 ovo grande batido
um pouco de leite, se necessário

Preparo

1 Peneire a farinha em uma tigela grande. Acrescente a manteiga e amasse até obter uma mistura esfarelada. Misture o açúcar e as uvas-passas. Junte o ovo.

2 Amasse todos os ingredientes e forme uma bola de massa. Se ficar muito dura coloque um pouco de leite.

3 Em uma superfície enfarinhada, abra a massa com cerca de 5 mm de espessura e corte os discos com o cortador.

4 Esquente uma frigideira em fogo médio. Aos poucos, frite os bolinhos em manteiga por 2-3 minutos de cada lado, em fogo baixo, até que fiquem dourados.

5 Enquanto ainda estiverem quentes e antes de servir, polvilhe um pouco de açúcar de confeiteiro. O ideal é consumi-los assim que ficarem prontos, com manteiga.

DICA DA AUTORA

Os bolinhos galeses são ótimos para servir à tarde. O ponto crítico do preparo é a virada para fritar o outro lado, pois a farinha com fermento os torna muito frágeis. Podem ser congelados e reaquecidos no forno após o descongelamento.

BOLINHO GALÊS

Rock cake

Já estava na hora desses pãezinhos ingleses voltarem à moda. Quando feitos da forma correta, ficam leves e quebradiços.

12 UNID | 15 MIN | 15-20 MIN | 4 SEM

Utensílio

1 assadeira grande

Ingredientes

200 g de farinha de trigo com fermento
uma pitada de sal
100 g de manteiga sem sal gelada em pedaços
75 g de açúcar
100 g de frutas secas (uvas-passas pretas e brancas e outras frutas picadas)
2 ovos
2 colheres (sopa) de leite, mais um pouco, se necessário
½ colher (chá) de extrato de baunilha
manteiga ou geleia, para servir (opcional)

Preparo

1 Preaqueça o forno a 190°C. Misture a farinha, o sal e a manteiga e amasse até obter farelos finos. Acrescente o açúcar e as frutas secas e misture bem.

2 Em outro recipiente, bata os ovos, o leite e o extrato de baunilha. Faça uma cova no centro da massa e despeje a mistura de ovos. Misture os ingredientes até obter uma massa firme. Se ficar muito dura, adicione um pouco mais de leite.

3 Forre duas assadeiras com papel-manteiga. Distribua colheradas grandes da massa nas assadeiras, deixando espaço para os bolinhos crescerem. Asse por 15-20 minutos, até que fiquem dourados.

4 Desenforme em uma grade. Corte os bolinhos ao meio e sirva quentes com manteiga e geleia. É melhor consumir no mesmo dia, pois não se conservam bem.

DICA DA AUTORA

Esses bolinhos têm esse nome não por causa da sua consistência, mas por sua clássica forma irregular, semelhante a um rochedo. A massa deve ficar com 5-7 cm de altura na assadeira, o que garantirá essa aparência, mesmo depois de se espalhar.

Profiterole

Feitas com massa choux, essas bombinhas recheadas e cobertas com calda de chocolate são uma tentação.

4 PORÇÕES | 30 MIN | 22 MIN | 12 SEM, S/ RECHEIO

Utensílios
assadeiras grandes
2 sacos de confeiteiro com bico simples de 1 cm e bico estrela de 5 mm

Ingredientes
60 g de farinha de trigo
50 g de manteiga sem sal
2 ovos batidos

Recheio e cobertura
400 ml de creme de leite fresco
200 g de chocolate meio amargo de boa qualidade em pedaços
25 g de manteiga
2 colheres (sopa) de glicose de milho

1 Preaqueça o forno a 220°C. Forre duas assadeiras grandes com papel-manteiga.

2 Peneire a farinha, segurando a peneira bem alto para que o ar seja incorporado.

3 Coloque a manteiga e 150 ml de água em uma panela e derreta em fogo baixo.

4 Deixe ferver, remova do fogo e coloque toda a farinha.

5 Bata até obter uma massa homogênea; deve formar uma bola. Esfrie por 10 minutos.

6 Aos poucos, acrescente os ovos, batendo bem após cada adição.

7 Continue adicionando os ovos até obter uma massa espessa, homogênea e brilhante.

8 Coloque a massa no saco de confeiteiro com bico simples de 1 cm.

9 Faça bolinhas do tamanho de nozes. Asse por 20 minutos, até crescerem e dourarem.

10 Retire do forno e abra um dos lados de cada profiterole para que o vapor saia.

11 Asse por mais 2 minutos para que fiquem crocantes e coloque sobre uma grade.

12 Bata 300 ml de creme de leite até formar picos. Coloque o restante em uma panela.

13 Junte o chocolate, a manteiga e a glicose ao creme na panela e aqueça até derreter.

14 Coloque o creme batido no saco de confeiteiro com bico estrela.

15 Abra os profiteroles e recheie com o creme batido.

16 Coloque em um prato. Mexa o creme de chocolate, derrame sobre os profiteroles e sirva.
PREPARE ANTES Sem recheio, podem ser conservados em recipiente hermético por até 2 dias.

Variações de Profiterole

Profiterole de chocolate e laranja

Essa receita é realçada pelo sabor das raspas de laranja e do licor. Experimente usar chocolate meio amargo com 60% de cacau para um sabor mais intenso.

6 PORÇÕES | 20 MIN | 40 MIN | 12 SEM, S/ RECHEIO

Utensílios

2 assadeiras grandes
2 sacos de confeiteiro, um com bico simples de 1 cm e outro com bico estrela de 5 mm

Ingredientes

Profiteroles

60 g de farinha de trigo
50 g de manteiga sem sal
2 ovos batidos

Recheio

500 ml de creme de leite fresco ou chantili
raspas finas da casca de 1 laranja
2 colheres (sopa) de Grand Marnier

Calda

150 g de chocolate meio amargo de boa qualidade em pedaços
300 ml de creme de leite light
1 colher (sopa) de glicose de milho
1 colher (sopa) de licor de laranja

Preparo

1 Preaqueça o forno a 220°C. Forre duas assadeiras com papel-manteiga. Peneire a farinha em uma tigela, segurando a peneira no alto para que o ar seja incorporado.

2 Coloque a manteiga e 150 ml de água em uma panela em fogo baixo até derreter a manteiga. Deixe ferver, retire do fogo e despeje na farinha. Bata com uma colher de pau até formar uma bola. Deixe esfriar por 10 minutos. Aos poucos, junte os ovos, batendo bem após cada adição. Continue adicionando os ovos até obter uma massa espessa e homogênea.

3 Coloque a massa no saco de confeiteiro com bico simples e faça bolinhas do tamanho de uma noz. Deixe-as bem separadas. Asse por 20 minutos, até crescerem e dourarem. Retire os profiteroles do forno e abra as laterais de cada um para deixar escapar o vapor. Retorne ao forno por mais 2 minutos, até ficarem crocantes. Transfira para uma grade.

4 Recheio: bata o creme de leite, as raspas e o Grand Marnier em uma tigela até ficar firme. Recheie os profiteroles usando o saco de confeiteiro com bico estrela.

5 Calda: derreta o chocolate, o creme de leite, a glicose e o licor em uma panela, mexendo até obter uma calda homogênea e brilhante. Sirva os profiteroles com a calda quente por cima.

PREPARE ANTES Sem recheio, conservam-se em recipiente hermético por até 2 dias.

DICA DA AUTORA

É fundamental fazer um corte na lateral dos profiteroles assim que saírem do forno, para deixar o vapor sair. Isso garante que a massa fique seca e crocante, com a textura correta. Se você não deixar sair o vapor, ficarão úmidos demais.

Gougère com salmão defumado

Esses bolinhos feitos com massa choux salgada são tradicionais na região francesa da Borgonha, onde ficam expostos em quase todas as padarias. Com esse recheio, transformam-se em canapés sofisticados.

8 PORÇÕES | 40-45 MIN | 30-35 MIN

Utensílios

2 assadeiras antiaderentes
1 pincel

Ingredientes

75 g de manteiga sem sal, mais um pouco para untar
1¼ colher (chá) de sal
150 g de farinha de trigo peneirada
6 ovos
125 g de gruyère picado grosseiramente

Recheio

sal e pimenta-do-reino
1 kg de espinafre fresco limpo sem os cabos
30 g de manteiga sem sal
1 cebola bem picada
4 dentes de alho bem picados
uma pitada de noz-moscada moída
250 g de cream cheese
175 g de salmão defumado cortado em tirinhas
4 colheres (sopa) de leite

Preparo

1 Preaqueça o forno a 190°C e unte duas assadeiras. Coloque a manteiga em uma panela com 250 ml de água e ¾ de colher (chá) de sal. Deixe ferver. Retire do fogo e adicione a farinha. Misture até uniformizar e volte ao fogo baixo por 30 segundos.

2 Retire do fogo. Adicione 4 ovos, um por vez, misturando bem. Bata o quinto ovo e acrescente-o devagar. Junte metade do queijo. Divida a massa em oito montinhos de 6 cm sobre as assadeiras. Bata o último ovo e o restante do sal. Pincele e polvilhe o restante do queijo. Asse por 30-35 minutos, até ficarem firmes. Retire do forno e coloque-os em uma grade. Corte o topo de cada bolinho e deixe esfriar.

3 Escalde o espinafre em água fervente com sal por 1-2 minutos. Escorra a água. Quando esfriar, esprema para retirar o excesso de líquido e pique. Refogue a cebola na manteiga derretida. Junte o espinafre, o alho, a noz-moscada e tempere. Refogue até secar. Adicione o cream cheese e misture bem. Tire do fogo.

4 Adicione ⅔ do salmão, despeje o leite e mexa. Recheie as gougères com 2-3 colheres (sopa) desse creme. Coloque o restante das tirinhas de salmão por cima e feche com o topo cortado. Sirva em seguida.

Éclair de chocolate

Primas dos profiteroles, as éclairs, ou bombas, têm muitas variações: experimente a cobertura de chocolate e o recheio de laranja (p. 132), ou o recheio de creme de confeiteiro com ou sem chocolate.

30 UNID | 30 MIN | 25-30 MIN | 12 SEM, S/ RECHEIO

Utensílios
assadeiras antiaderentes
1 saco de confeiteiro com bico simples de 1 cm

Ingredientes
75 g de manteiga sem sal
125 g de farinha de trigo peneirada
3 ovos
500 ml de creme de leite fresco ou chantili
150 g de chocolate meio amargo de boa qualidade em pedaços

Preparo

1 Preaqueça o forno a 200°C. Derreta a manteiga em uma panela com 200 ml de água fria. Quando ferver, retire do fogo, adicione a farinha. Bata bem com uma colher de pau até uniformizar.

2 Bata os ovos ligeiramente e junte-os à mistura de farinha, aos poucos e batendo sem parar. Continue batendo até obter uma massa uniforme e brilhante que desgruda facilmente das laterais da panela. Transfira para o saco de confeitar.

3 Distribua porções de 10 cm de comprimento da massa em assadeiras forradas com papel-manteiga, interrompendo a saída da mistura com uma faca úmida. Rende cerca de 30 éclairs. Asse por 20-25 minutos ou até dourar. Retire do forno e faça aberturas na lateral de cada uma. Asse por mais 5 minutos. Retire do forno e deixe esfriar.

4 Bata o creme com um mixer até formar picos suaves. Recheie usando o saco de confeiteiro ou uma colher. Derreta os pedaços de chocolate em uma tigela refratária em banho-maria, sem que o fundo toque a água fervente. Despeje o chocolate sobre as bombas e deixe secar antes de servir.

PREPARE ANTES As massas sem recheio podem ser armazenadas em recipiente hermético por até 2 dias.

Merengue com creme de framboesa

Recheados com framboesas frescas e chantili, esses minimerengues são perfeitos para servir no verão.

6-8 UNID | 10 MIN | 1H

Utensílios

tigela de metal
saco de confeitar com bico simples
1 assadeira grande
balança

Ingredientes

4 claras em temperatura ambiente (cada clara deve pesar em média 30 g)
240 g de açúcar (medida aproximada; ver passo 3)

Recheio

100 g de framboesa
300 ml de creme de leite fresco
1 colher (sopa) de açúcar de confeiteiro peneirado

1 Preaqueça o forno a 120°C. Forre uma assadeira com papel-manteiga.

2 Verifique se a tigela está limpa e seca. Dica: esfregar um limão-siciliano tira a gordura.

3 Pese as claras. O peso do açúcar deve ser exatamente o dobro do peso das claras.

4 Bata as claras em neve na tigela de metal até ficarem firmes.

5 Aos poucos, junte metade do açúcar, uma colherada de cada vez, mexendo sempre.

6 Acrescente o açúcar restante às claras, mas com delicadeza, para não perder o volume.

7 Coloque colheradas na assadeira, com 5 cm de espaço entre cada uma.

8 Se preferir, utilize o saco de confeiteiro. Asse na parte central do forno por 1 hora.

9 Estarão prontos quando se soltarem facilmente do papel-manteiga.

10 Deixe os merengues esfriarem no forno desligado e depois coloque-os em uma grade.

11 Esmague as framboesas com um garfo.

12 Em outra tigela, bata o creme de leite fresco até ficar firme, mas não muito espesso.

13 Misture com delicadeza o creme, as framboesas e o açúcar de confeiteiro.

14 Espalhe o creme de framboesas na base do merengue.

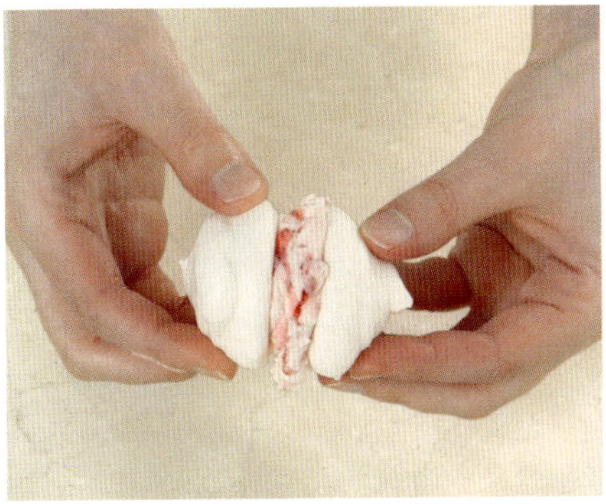

15 Cubra com a parte plana de outro merengue e pressione, formando um casadinho.

16 Para merengues pequenos, reduza o tempo de forno para 45 minutos.
PREPARE ANTES Sem recheio, podem ser armazenados em recipiente hermético por 5 dias.

Variações de Merengue

Merengue gigante de pistache

Por serem grandes demais para rechear, devem ser apreciados como biscoitos.

8 UNID | 15 MIN | 1H30

Utensílios
processador de alimentos
tigela de metal grande
1 assadeira grande
balança

Ingredientes
100 g de pistache descascado sem sal
4 claras em temperatura ambiente (cada clara deve pesar em média 30 g)
240 g de açúcar (medida aproximada; ver p. 134, passo 3)

Preparo

1 Preaqueça o forno na temperatura mais baixa (cerca de 120°C). Espalhe os pistaches em uma assadeira, asse por 5 minutos e depois esfregue-os com um pano de prato para tirar o excesso de pele. Deixe esfriar. Processe metade deles e pique o restante grosseiramente.

2 Bata as claras em neve firme na tigela de metal. Acrescente 2 colheres (sopa) de açúcar por vez, batendo nos intervalos até usar pelo menos a metade. Acrescente o restante do açúcar e os pistaches moídos, mas não misture demais, para não perder o volume.

3 Forre uma assadeira com papel-manteiga. Com o auxílio de uma colher (sopa), distribua porções bem servidas, deixando pelo menos 5 cm entre elas. Enfeite os merengues com os pistaches picados grosseiramente.

4 Asse no centro do forno por 1h30. Desligue o forno e deixe os merengues esfriarem dentro dele, para que não quebrem. Tire do forno e coloque sobre uma grade. Sirva em uma pilha, para que causem maior impacto visual.

GUARDE Os merengues podem ser armazenados em recipiente hermético por até 5 dias.

Merengue de limão-siciliano e praliné

Uma opção crocante de merengues.

6 PORÇÕES | 35 MIN | 1H30

Utensílios
saco de confeitar com bico estrela
1 assadeira grande
balança

Ingredientes
3 claras em temperatura ambiente
180 g de açúcar (medida aproximada, ver p. 134, passo 3)
óleo vegetal, para untar
60 g de açúcar cristal
60 g de amêndoa escaldada
uma pitada de cremor tártaro
85 g de chocolate meio amargo em pedaços
150 ml de creme de leite fresco
3 colheres (sopa) de leite condensado
1 colher (chá) de suco de limão-siciliano

Preparo

1 Preaqueça o forno a 120°C e forre uma assadeira com papel-manteiga. Bata as claras em neve. Acrescente 2 colheres (sopa) de açúcar e bata até a mistura ficar lisa e brilhante. Adicione o restante do açúcar, uma colher de cada vez, sempre batendo entre cada adição. Coloque as claras em um saco de confeitar e faça seis círculos de 10 cm nas assadeiras. Asse por 1h30 ou até que fiquem crocantes.

2 Unte uma assadeira com óleo e coloque o açúcar cristal, as amêndoas e o cremor tártaro em uma panela pequena. Em fogo baixo, mexa até o açúcar dissolver. Deixe ferver até a mistura ficar dourada e despeje-a na assadeira untada. Espere esfriar e pique grosseiramente o praliné que se formou.

3 Derreta o chocolate em banho-maria. Bata o creme de leite até ficar firme e misture o leite condensado e o suco de limão. Espalhe o chocolate sobre cada merengue. Espere um pouco e cubra com o creme de limão; espalhe o praliné e sirva.

Mont Blanc

Se usar purê de castanhas adoçado, não adicione açúcar ao recheio.

8 UNID | 20 MIN | 45-60 MIN

Utensílios
1 tigela de metal grande
cortador redondo de 10 cm
2 assadeiras grandes
balança

Ingredientes
4 claras em temperatura ambiente
240 g de açúcar (medida aproximada, ver p. 134, passo 3)
óleo de girassol, para untar

Recheio
435 g de purê de castanhas em lata com ou sem açúcar
100 g de açúcar (opcional)
1 colher (chá) de extrato de baunilha
500 ml de creme de leite fresco
açúcar de confeiteiro, para polvilhar

Preparo

1 Preaqueça o forno na temperatura mais baixa possível (em torno de 120°C). Bata as claras em neve em uma vasilha de metal até obter picos firmes. Adicione o açúcar, 2 colheres (sopa) por vez, batendo bem a cada adição, até a metade do açúcar ter sido usada. Acrescente o restante e misture com delicadeza.

2 Unte o cortador e forre duas assadeiras com papel-manteiga. Coloque o cortador sobre a assadeira e encha com a mistura de merengue até 3 cm de altura. Nivele a superfície e tire o cortador com cuidado. Repita a operação até ficar com quatro bases de merengue em cada assadeira.

3 Asse os merengues no centro do forno por 45 minutos, se preferir que fiquem mais puxa-puxa, ou por 1 hora, se os quiser mais crocantes. Desligue o forno e deixe-os esfriar dentro, para evitar que quebrem. Transfira para uma grade.

4 Coloque o purê de castanhas em uma tigela com o açúcar (se usar), a baunilha e 4 colheres (sopa) de creme de leite fresco. Bata até obter um creme macio. Passe-o por uma peneira para que fique leve e fofo. Em outra tigela, bata o restante do creme de leite até firmar.

5 Coloque 1 colher (sopa) do recheio de castanhas sobre os merengues e use uma espátula para nivelar a superfície. Cubra cada unidade com uma colherada de creme batido, usando a espátula para dar a aparência de picos moles. Polvilhe açúcar de confeiteiro e sirva.

PREPARE ANTES Os merengues conservam-se em recipiente hermético por 5 dias.

DICA DA AUTORA

Verifique se a tigela de metal que vai ser usada para bater as claras está limpa e seca. É recomendado pesar as claras, pois a quantidade de açúcar a ser usada deve ser exatamente o dobro do peso das claras. É melhor usar balança digital.

cookies, biscoitos e barrinhas

Cookie de aveia, avelã e uva-passa

Esses biscoitos são clássicos – saudáveis para os adultos e irresistíveis para as crianças.

18 UNID | 20 MIN | 10-15 MIN | 8 SEM

Utensílios
assadeiras grandes

Ingredientes
100 g de avelã
100 g de manteiga sem sal em temperatura ambiente
200 g de açúcar demerara
1 ovo batido
1 colher (chá) de extrato de baunilha
2 colheres (sopa) de mel
125 g de farinha de trigo com fermento peneirada
125 g de flocos de aveia grossos
uma pitada de sal
100 g de uva-passa
um pouco de leite, se necessário

1 Preaqueça o forno a 190°C. Toste as avelãs sobre o papel-manteiga por 5 minutos.

2 Esfregue-as com um pano de prato para remover a maior parte das cascas.

3 Pique grosseiramente as avelãs e reserve.

4 Bata a manteiga e o açúcar na batedeira até ficar homogêneo.

5 Adicione o ovo, o extrato de baunilha e o mel e bata novamente.

6 Coloque a farinha, a aveia e o sal em uma tigela separada e misture bem.

7 Junte as misturas e bata até incorporar totalmente.

8 Adicione as avelãs picadas e as uvas--passas e misture bem.

9 Se a massa ficar muito grossa, adicione um pouco de leite até ficar mais cremosa.

10 Forre as assadeiras com papel-manteiga. Faça bolinhas do tamanho de uma noz.

11 Achate cada uma delicadamente, deixando bastante espaço entre elas.

12 Asse por 10-15 minutos até dourarem. Deixe esfriar um pouco e coloque em uma grade.

13 Espere esfriar completamente antes de servir. **GUARDE** Os cookies podem ser armazenados em recipiente hermético por até 5 dias; se prepará-los no domingo, durarão toda a semana.

Variações de Cookie

Cookie de aveia, cranberry e pistache

Essa versão mais sofisticada ganha cores vivas.

24 UNID | 20 MIN | 10-15 MIN | 8 SEM

Utensílios
assadeiras grandes

Ingredientes
100 g de manteiga sem sal em temperatura ambiente
200 g de açúcar demerara
1 ovo
1 colher (chá) de extrato de baunilha
1 colher (sopa) de mel
125 g de farinha de trigo com fermento peneirada
125 g de flocos de aveia
uma pitada de sal
100 g de pistache ligeiramente tostado e picado grosseiramente
100 g de cranberry seco picado grosseiramente
um pouco de leite, se necessário

Preparo

1 Preaqueça o forno a 190°C. Bata a manteiga e o açúcar na batedeira até obter uma mistura homogênea. Junte o ovo, o extrato de baunilha e o mel e bata bem.

2 Acrescente a farinha, a aveia e o sal e mexa. Junte os pistaches picados e os cranberries e misture bem todos os ingredientes. Se a massa ficar muito espessa, adicione um pouco de leite até ficar mais cremosa.

3 Com as mãos, faça bolinhas do tamanho de uma noz. Coloque-as em duas ou três assadeiras forradas com papel-manteiga e achate-as delicadamente, deixando espaço para que os cookies cresçam.

4 Asse por 10-15 minutos, até ficarem dourados. Deixe esfriar um pouco na assadeira antes de transferi-los para uma grade.

GUARDE Os cookies conservam-se em recipiente hermético por até 5 dias.

DICA DA AUTORA

Depois de se tornar especialista em cookies de aveia, experimente diferentes combinações de frutas frescas e secas e nozes, juntando sementes de girassol e de abóbora à massa.

Cookie de maçã, canela e aveia

Adicionar maçã ralada à massa deixa esses cookies bem macios.

24 UNID | 20 MIN | 10-15 MIN | 8 SEM

Utensílios
2-3 assadeiras grandes

Ingredientes
100 g de manteiga sem sal em temperatura ambiente
200 g de açúcar demerara
1 ovo
1 colher (chá) de extrato de baunilha
1 colher (sopa) de mel
125 g de farinha de trigo com fermento peneirada
125 g de flocos de aveia
2 colheres (chá) de canela
uma pitada de sal
2 maçãs descascadas, sem miolo e raladas
um pouco de leite, se necessário

Preparo

1 Preaqueça o forno a 190°C. Bata a manteiga e o açúcar na batedeira até a mistura ficar bem cremosa. Acrescente o ovo, a baunilha e o mel e mexa bem até uniformizar.

2 Usando uma colher de pau, misture a farinha, a aveia, a canela e o sal ao creme. Acrescente as maçãs. Se a massa ficar muito densa, adicione um pouco de leite. Pegue porções do tamanho de uma noz e faça bolinhas.

3 Forre duas ou três assadeiras com papel-manteiga e coloque as bolinhas. Achate-as delicadamente, deixando espaço para que os cookies cresçam.

4 Asse por 10-15 minutos, até ficarem dourados. Deixe esfriar um pouco e transfira para uma grade para esfriar completamente.

GUARDE Os cookies podem ser armazenados em recipiente hermético por até 5 dias.

Cookie de chocolate branco e macadâmia

Os clássicos cookies de chocolate têm aqui um toque sofisticado.

24 UNID | 25 MIN | 10-15 MIN | 4 SEM

Tempo de refrigeração
30 min

Utensílios
assadeiras grandes

Ingredientes
150 g de chocolate meio amargo de boa qualidade picado
100 g de farinha de trigo com fermento
25 g de cacau em pó
75 g de manteiga sem sal em temperatura ambiente
175 g de açúcar demerara
1 ovo batido
1 colher (chá) de extrato de baunilha
50 g de macadâmia picada grosseiramente
50 g de chocolate branco em pedacinhos

Preparo

1 Preaqueça o forno a 180°C. Derreta o chocolate meio amargo em banho-maria. Deixe esfriar e reserve. Peneire a farinha e o cacau em pó juntos.

2 Bata a manteiga e o açúcar na batedeira até obter um creme leve e fofo. Misture o ovo e a baunilha. Despeje sobre a mistura de farinha. Adicione o chocolate derretido e mexa delicadamente. Acrescente as macadâmias e os pedaços de chocolate branco. Cubra a tigela e leve à geladeira por 30 minutos.

3 Com uma colher (sopa), distribua a massa fria em duas ou três assadeiras forradas com papel-manteiga, mantendo uma distância de 5 cm entre cada cookie.

4 Leve ao forno por 10-15 minutos, até que fiquem assados, mas com o meio ainda mole. Passe para uma grade depois de frios.

GUARDE Os cookies conservam-se em recipiente hermético por até 5 dias.

Biscoito amanteigado

Rápidos e simples de fazer, esses biscoitos finos e elegantes são um dos clássicos favoritos.

30 UNID | 15 MIN | 10-15 MIN | 8 SEM

Utensílios

assadeiras antiaderentes grandes
cortador redondo de 7 cm
processador de alimentos (opcional)

Ingredientes

100 g de açúcar
225 g de farinha de trigo peneirada, mais um pouco para polvilhar
150 g de manteiga sem sal em temperatura ambiente cortada em pedaços
1 gema
1 colher (chá) de extrato de baunilha

1 Preaqueça o forno a 180°C. Reserve várias assadeiras antiaderentes.

2 Coloque o açúcar, a farinha e a manteiga em uma tigela grande ou no processador.

3 Amasse os ingredientes (ou processe) até formar migalhas.

4 Adicione a gema de ovo e o extrato de baunilha e misture até obter a massa.

5 Sobre uma superfície enfarinhada, trabalhe a massa com delicadeza, até ficar macia.

6 Abra com um rolo até ficar com espessura de 5 mm.

7 Passe uma espátula sob a massa para que ela não grude na superfície enfarinhada.

8 Se ficar muito grudenta, coloque na geladeira por 15 minutos e tente de novo.

9 Com o cortador redondo, corte a massa e transfira para as assadeiras.

10 Reúna as sobras, abra novamente e corte mais biscoitos.

11 Asse em várias fornadas por 10-15 minutos, até as bordas dourarem.

12 Deixe os biscoitos esfriarem até ficarem firmes e transfira-os para uma grade.

13 Deixe esfriar completamente antes de servir. **GUARDE** Os biscoitos podem ser armazenados em recipiente hermético por até 5 dias.

Variações de Biscoito amanteigado

Biscoito de gengibre cristalizado

O sabor é quente e marcante!

30 UNID | 15 MIN | 10-15 MIN | 8 SEM

Utensílios
assadeiras antiaderentes grandes
cortador redondo de 7 cm
processador de alimentos (opcional)

Ingredientes
100 g de açúcar
225 g de farinha de trigo peneirada, mais um pouco para polvilhar
150 g de manteiga sem sal em temperatura ambiente cortada em pedaços
1 colher (chá) de gengibre em pó
50 g de gengibre cristalizado finamente picado
1 gema
1 colher (chá) de extrato de baunilha

Preparo

1 Preaqueça o forno a 180°C. Amasse o açúcar, a farinha e a manteiga (ou processe) até obter farelos. Misture o gengibre em pó e o cristalizado.

2 Junte a gema e o extrato de baunilha e amasse bem. Coloque a massa sobre uma superfície enfarinhada e sove até ficar macia.

3 Polvilhe a massa com farinha e abra para ficar com 5 mm de espessura. Use o cortador para fazer os biscoitos e transfira-os para as assadeiras.

4 Asse no forno por 10-15 minutos, até que as bordas fiquem douradas. Deixe os biscoitos nas assadeiras por alguns minutos e depois coloque-os sobre uma grade.

GUARDE Os biscoitos podem ser armazenados em recipiente hermético por até 5 dias.

Biscoito amanteigado de amêndoa

Acrescentar o extrato de amêndoas dá um toque sofisticado a esses deliciosos biscoitos.

30 UNID | 15 MIN | 12-15 MIN | 8 SEM

Utensílios
assadeiras antiaderentes grandes
cortador redondo de 7 cm
processador de alimentos (opcional)

Ingredientes
100 g de açúcar
225 g de farinha de trigo peneirada, mais um pouco para polvilhar
150 g de manteiga sem sal em temperatura ambiente cortada em pedaços
40 g de amêndoa em lâminas ligeiramente tostadas
1 gema
1 colher (chá) de extrato de amêndoas

Preparo

1 Preaqueça o forno a 180°C. Amasse ou processe os três primeiros ingredientes até obter farelos. Junte as amêndoas.

2 Acrescente a gema e o extrato de amêndoas à mistura até formar uma massa compacta. Sove até ficar macia e abra com 5 mm de espessura.

3 Corte os biscoitos e coloque-os nas assadeiras. Asse em várias fornadas por 12-15 minutos, até as bordas dourarem. Espere alguns minutos e transfira para uma grade.

GUARDE Os biscoitos conservam-se em recipiente hermético por até 5 dias.

DICA DA AUTORA

Prefira sempre o extrato de amêndoas, pois a essência contém ingredientes sintéticos. Para acompanhar o café após o jantar, faça os biscoitos mais finos e asse por 5-8 minutos.

Biscoito Spritzgebäck

Esses delicados amanteigados se baseiam em uma clássica receita alemã, servida tradicionalmente no Natal. ▶

45 UNID | 45 MIN | 12 MIN

Utensílios
assadeiras antiaderentes grandes
saco de confeitar com bico estrela

Ingredientes
380 g de manteiga em temperatura ambiente
gotas de extrato de baunilha
250 g de açúcar
uma pitada de sal
500 g de farinha de trigo peneirada
125 g de amêndoa moída
2 gemas, se necessário
100 g de chocolate meio amargo ou ao leite

Preparo

1 Preaqueça o forno a 180°C. Forre duas ou três assadeiras com papel-manteiga. Coloque a manteiga em uma tigela e bata até ficar macia. Acrescente a baunilha, o açúcar e o sal até que a mistura engrosse e o açúcar tenha sido absorvido. Gradualmente, acrescente ⅔ da farinha, mexendo de vez em quando.

2 Adicione o restante da farinha e as amêndoas e misture bem para formar a massa. Amoleça a massa com duas gemas, se necessário. Coloque em um saco de confeitar e aperte-o para extrair tiras de 7,5 cm de comprimento sobre as assadeiras.

3 Asse por 12 minutos, ou até dourar, e transfira para uma grade. Derreta o chocolate em banho-maria. Mergulhe uma das pontas dos biscoitos no chocolate derretido e coloque-os sobre uma grade.

GUARDE Os biscoitos conservam-se em recipiente hermético por até 2-3 dias.

Biscoito de gengibre

As crianças amam fazer biscoitos de gengibre. Essa receita rápida e fácil é ideal para essa diversão.

16 UNID | 20 MIN | 10-12 MIN | 8 SEM, S/ ASSAR

Utensílios
assadeiras antiaderentes grandes
cortador de 11 cm em forma de boneco
saco de confeitar com bico fino (opcional)

Ingredientes
4 colheres (sopa) de glicose de milho
300 g de farinha de trigo, mais um pouco para polvilhar
1 colher (chá) de bicarbonato de sódio
1½ colher (chá) de gengibre em pó
1½ colher (chá) de mistura de especiarias (cravo e canela em pó)
100 g de manteiga sem sal em temperatura ambiente cortada em pedaços
150 g de açúcar mascavo
1 ovo
uva-passa, para decorar
açúcar de confeiteiro (opcional)

1 Preaqueça o forno a 190°C. Aqueça a glicose até ficar líquida. Deixe esfriar.

2 Peneire juntos a farinha, o bicarbonato e as especiarias. Adicione a manteiga.

3 Trabalhe com a ponta dos dedos até a mistura ficar parecida com uma farofa.

4 Adicione o açúcar mascavo à farofa e misture bem.

5 Bata o ovo na glicose fria até que fiquem bem misturados.

6 Faça uma cova nos ingredientes secos e despeje a glicose. Misture bem.

7 Em uma superfície enfarinhada, sove a massa rapidamente até ficar macia.

8 Polvilhe farinha na superfície de trabalho e na massa e abra-a até ficar com 5 mm.

9 Use o cortador para fazer o máximo de biscoitos. Transfira-os para as assadeiras.

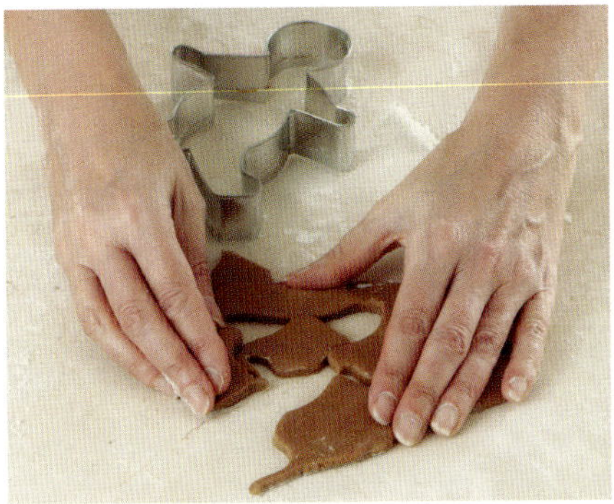

10 Junte os retalhos da massa, abra de novo com o rolo e corte mais figuras, até acabar.

11 Decore os bonecos fazendo o nariz, os olhos e os botões com as uvas-passas.

12 Asse por 10-12 minutos, até dourarem. Transfira para uma grade.

13 Misture um pouco de açúcar com água suficiente para fazer uma cobertura rala.

14 Coloque a cobertura no saco de confeiteiro; para facilitar, apoie o saco dentro de um copo.

15 Desenhe roupas, cabelos e outros detalhes nos bonecos usando o saco de confeitar.

16 Deixe a cobertura secar antes de servir ou guardar.

GUARDE Os biscoitos podem ser armazenados em recipiente hermético por até 3 dias.

Variações de Biscoito de gengibre

Biscoito sueco de especiarias

Essa é uma versão do tradicional Biscoito sueco de Natal. Para obter um resultado autêntico, faça-os bem finos e asse por menos tempo.

60 UNID | 20 MIN | 10 MIN | 8 SEM, S/ ASSAR

Tempo de refrigeração
1h

Utensílios
assadeiras antiaderentes grandes
cortador de 7 cm em forma de coração ou estrela

Ingredientes
125 g de manteiga sem sal em temperatura ambiente
150 g de açúcar
1 ovo
2 colheres (sopa) de glicose de milho
250 g de farinha de trigo, mais um pouco para polvilhar
uma pitada de sal
1 colher (chá) de canela
1 colher (chá) de gengibre em pó
1 colher (chá) de mistura de especiarias

Preparo

1 Bata a manteiga e o açúcar na batedeira até obter um creme. Misture o ovo e a glicose de milho. Peneire a farinha, o sal e as especiarias. Adicione a mistura de farinha ao creme e mexa até formar a massa.

2 Sove delicadamente até ficar macia, coloque em um saco plástico e refrigere por uma hora.

3 Preaqueça o forno a 180°C. Abra a massa com 3 mm de espessura e corte os biscoitos.

4 Transfira os biscoitos para as assadeiras e asse na parte superior do forno por 10 minutos, até que as bordas escureçam ligeiramente. Deixe que esfriem um pouco e transfira-os para uma grade.

GUARDE Os biscoitos conservam-se em recipiente hermético por até 5 dias.

DICA DA AUTORA

Essa é uma receita inspirada nos biscoitos suecos de Natal chamados Pepparkakor. Para decorar a árvore em um autêntico estilo sueco, corte-os em forma de coração e, antes de assar, faça um furo na parte superior com um canudo. Depois de prontos, pendure-os nos galhos usando fitas vermelhas.

Biscoito de gengibre com amêndoa

Aqui, uma versão especial.

45 UNID | 30 MIN | 8-10 MIN | 8 SEM, S/ ASSAR

Utensílios
2 assadeiras antiaderentes grandes
cortadores de 7 cm (qualquer formato)
1 pincel

Ingredientes
250 g de farinha de trigo, mais um pouco para polvilhar
2 colheres (chá) de fermento
175 g de açúcar
gotas de extrato de baunilha
½ colher (chá) de mistura de especiarias (cravo e canela em pó)
2 colheres (chá) de gengibre em pó
100 g de mel
1 clara de ovo
4 colheres (chá) de leite
125 g de amêndoa moída
amêndoa (ou avelã) picada, para decorar

Preparo

1 Preaqueça o forno a 180°C. Forre duas assadeiras com papel-manteiga.

2 Peneire a farinha e o fermento em uma tigela. Junte os outros ingredientes, exceto as amêndoas picadas. Misture até obter uma textura macia. Faça uma bola de massa com as mãos.

3 Abra em uma superfície levemente enfarinhada até ficar com 5 mm. Corte os biscoitos e coloque-os nas assadeiras, deixando espaço entre eles para que cresçam. Bata a clara e pincele os biscoitos com ela; depois, espalhe as amêndoas. Asse por 8-10 minutos ou até dourarem.

4 Retire os biscoitos do forno e deixe esfriar por alguns minutos na assadeira; depois transfira-os para uma grade.

GUARDE Os biscoitos podem ser armazenados em recipiente hermético por até 3 dias.

Estrelas de canela

São de origem alemã e um ótimo presente natalino de última hora.

30 UNID	20 MIN	12-15 MIN	4 SEM, S/ ASSAR

Tempo de refrigeração
1h

Utensílios
assadeiras antiaderentes grandes
cortadores de 7 cm em forma de estrela
1 pincel

Ingredientes
2 claras de ovos grandes
225 g de açúcar de confeiteiro, mais um pouco para polvilhar
½ colher (chá) de suco de limão-siciliano
1 colher (chá) de canela em pó
250 g de amêndoa moída
óleo vegetal, para untar
um pouco de leite, se necessário

Preparo

1 Bata as claras em neve firme. Peneire o açúcar de confeiteiro, junte o suco de limão-siciliano e bata por mais 5 minutos, até ficar firme e brilhante. Separe 2 colheres (sopa) dessa mistura para fazer a cobertura dos biscoitos.

2 Incorpore delicadamente a canela e as amêndoas. Cubra e refrigere por 1 hora ou durante toda a noite. A mistura se tornará uma massa dura.

3 Preaqueça o forno a 180°C. Polvilhe a superfície de trabalho com açúcar de confeiteiro e coloque a massa sobre ela. Sove com um pouco de açúcar de confeiteiro até ficar macia. Polvilhe um rolo com o açúcar e abra a massa até ficar com 5 mm de espessura.

4 Unte o cortador e as assadeiras com óleo. Corte estrelas na massa e coloque-as nas assadeiras. Pincele um pouco da cobertura sobre cada biscoito. Se estiver dura, acrescente um pouco de leite.

5 Asse na parte superior do forno por 12-15 minutos, até a cobertura firmar. Deixe esfriar por 10 minutos e depois transfira para uma grade.

Canestrelli

Essas delícias italianas leves como o ar são tradicionalmente cortadas em forma de flor – um formato adequado para esse delicado biscoito.

20-30 UNID | 20 MIN | 15-17 MIN | 4 SEM

Tempo de refrigeração
30 min

Utensílios
assadeiras antiaderentes grandes
1 cortador em forma de flor ou 2 cortadores redondos de tamanhos diferentes

Ingredientes
2 gemas inteiras
150 g de manteiga sem sal em temperatura ambiente
150 g de açúcar de confeiteiro peneirado
raspas finas de ½ limão-siciliano
100 g de farinha de trigo com fermento (ou de fécula de batata, nos casos de intolerância ao trigo), mais um pouco para polvilhar
150 g de fécula de batata

Preparo

1 Despeje delicadamente as gemas em uma panela com água em fogo baixo. Escalde-as por 5 minutos, até ficarem cozidas. Retire-as da água e deixe esfriar. Em uma tigela, passe as gemas por uma peneira de metal, apertando-as sobre a malha com as costas de uma colher.

2 Bata a manteiga e o açúcar de confeiteiro na batedeira até formar um creme leve e fofo. Adicione as gemas e as raspas de limão-siciliano e bata para misturar bem.

3 Peneire a farinha de trigo e a fécula de batata e adicione o creme até formar uma massa leve e macia. Coloque a massa em um saco plástico e refrigere por 30 minutos para firmá-la. Preaqueça o forno a 160°C.

4 Abra a massa com 1 cm de espessura em uma superfície polvilhada com farinha. Corte os biscoitos em forma de flor ou com dois cortadores redondos de tamanhos diferentes.

5 Coloque os biscoitos nas assadeiras e asse em várias fornadas na parte superior do forno por 15-17 minutos, até começarem a dourar. Deixe-os esfriar por pelo menos 10 minutos na assadeira antes de colocar sobre uma grade.

GUARDE Os canestrelli podem ser armazenados em recipiente hermético por até 5 dias.

DICA DA AUTORA

Esses biscoitos delicados em forma de flor têm origem na Ligúria, região do noroeste da Itália. Ficam ainda mais leves se você usar somente fécula de batata. Como os canestrelli são muito delicados quando estão mornos, deixe-os esfriar na assadeira antes de colocar na grade.

Almendrado

Esses biscoitos de merengue de amêndoas são crocantes por fora e cremosos por dentro.

24 UNID | 10 MIN | 12-15 MIN

Utensíios
assadeiras grandes

Ingredientes
2 claras
225 g de açúcar
125 g de amêndoa moída
30 g de farinha de arroz
gotas de extrato de amêndoas
24 amêndoas escaldadas
folhas de hóstia (opcional)

1 Preaqueça o forno a 180°C. Bata as claras na batedeira.

2 Acrescente uma colher de açúcar por vez, para fazer um merengue firme.

3 Coloque as amêndoas moídas, a farinha de arroz e o extrato de amêndoas e misture bem.

4 Forre duas assadeiras com papel-manteiga ou distribua as folhas de hóstia, se utilizá-las.

5 Use duas colheres (sobremesa) para pegar a massa. Lave e seque-as a cada retirada.

6 Coloque quatro colheradas da mistura em cada folha de papel-manteiga ou de hóstia.

7 Coloque uma amêndoa escaldada no centro de cada porção de massa.

8 Asse os almendrados na parte central do forno por 12-15 minutos, até dourarem.

9 Transfira para uma grade antes de desgrudar os biscoitos das folhas.

ALMENDRADO

10 Como os almendrados costumam grudar, não se preocupe se a hóstia ficar grudada na base. **GUARDE** É melhor consumi-los no dia em que são feitos. Podem ser armazenados em recipiente hermético por 2-3 dias, mas tendem a ressecar.

Variações de Almendrado

Almendrado de coco

Essas delícias de coco são simples de fazer e não levam farinha de trigo. Essa versão não utiliza chocolate e, portanto, é light.

18-20 UNID | 20 MIN | 15-20 MIN

Tempo de refrigeração
2h

Utensílios
assadeiras grandes

Ingredientes
1 clara
50 g de açúcar
uma pitada de sal
½ colher (chá) de extrato de baunilha
100 g de coco ralado
folhas de hóstia (opcional)

Preparo

1 Preaqueça o forno a 160°C. Bata a clara em neve. Pouco a pouco, acrescente o açúcar, batendo sempre até obter picos firmes e brilhantes.

2 Junte o sal e o extrato de baunilha e misture delicadamente.

3 Adicione o coco ralado. Cubra a mistura e refrigere por 2 horas, para ficar firme e o coco, hidratado.

4 Forre as assadeiras com papel--manteiga ou com as folhas de hóstia. Coloque colheradas (sobremesa) da mistura nas assadeiras, dando o formato de um pequeno monte.

5 Asse na parte central do forno por 15-20 minutos, até dourarem. Deixe os almendrados descansarem nas assadeiras por pelo menos 10 minutos para firmar e depois coloque-os em uma grade.

GUARDE Os almendrados podem ser armazenados em recipiente hermético por até 5 dias.

Almendrado de chocolate

Acrescente cacau em pó para criar uma versão para chocólatras.

24 UNID | 20 MIN | 12-15 MIN | 4 SEM

Tempo de refrigeração
30 min

Utensílios
assadeiras grandes

Ingredientes
2 claras
225 g de açúcar
125 g de amêndoa moída
30 g de farinha de arroz
25 g de cacau em pó peneirado
24 amêndoas escaldadas
folhas de hóstia (opcional)

Preparo

1 Preaqueça o forno a 180°C. Bata as claras em neve. Adicione o açúcar, um pouco por vez, mexendo sempre depois de cada adição até a mistura ficar firme e brilhante.

2 Acrescente as amêndoas moídas, a farinha de arroz e o cacau. Cubra e refrigere por 30 minutos para que fique firme. Prepare duas assadeiras forradas com papel-manteiga ou folhas de hóstia.

3 Coloque colheradas da mistura nas assadeiras, deixando um espaço de pelo menos 4 cm entre elas, porque a mistura vai se espalhar. Tente manter cada porção com a forma de um pequeno monte. Ponha uma amêndoa escaldada no topo de cada porção de massa.

4 Asse os almendrados na parte superior do forno por 12-15 minutos, até que dourem e as bordas fiquem firmes ao toque. Deixe esfriar nas assadeiras por pelo menos 5 minutos e transfira para uma grade.

GUARDE É melhor consumi-los no mesmo dia, mas podem ser armazenados em recipiente hermético por até 2-3 dias.

Almendrado de café e avelã

Esses biscoitos são deliciosos, fáceis de preparar e perfeitos para acompanhar o café após o jantar, especialmente quando feitos bem pequenos.

20 UNID | 30 MIN | 20 MIN | 4 SEM

Tempo de refrigeração
30 min

Utensílios
assadeiras grandes
processador de alimentos

Ingredientes
150 g de avelã sem casca, mais 20 unidades
2 claras
225 g de açúcar
30 g de farinha de arroz
1 colher (chá) de café solúvel dissolvido em 1 colher (chá) de água quente, ou o equivalente de café expresso
folhas de hóstia (opcional)

Preparo

1 Preaqueça o forno a 180°C. Coloque as avelãs em uma assadeira e toste-as por 5 minutos. Coloque-as em um pano de prato e esfregue para remover a pele. Deixe esfriar e reserve.

2 Bata as claras em neve. Acrescente o açúcar e bata até ficar bem firme.

3 Moa as avelãs no processador. Acrescente-as com a farinha de arroz à mistura. Delicadamente, incorpore o café frio. Cubra e refrigere por 30 minutos, para que a massa fique firme.

4 Use uma colher (sobremesa) para fazer pequenos montes nas assadeiras forradas com papel-manteiga, deixando 4 cm de distância entre eles. Coloque uma avelã no centro de cada um.

5 Asse os almendrados na parte superior do forno por 12-15 minutos, até ficarem ligeiramente dourados; se os biscoitos forem pequenos, verifique o forno após 10 minutos. Deixe-os nas assadeiras por 5 minutos e transfira para uma grade.

GUARDE Melhor consumi-los no mesmo dia, mas conservam-se em recipiente hermético por até 2-3 dias.

DICA DA AUTORA

Os tradicionais almendrados ou macaroons foram ofuscados pela bela versão francesa, os macarons (ver pp. 158-63). Entretanto, os almendrados também não levam farinha de trigo, são fáceis de fazer e tão bonitos quanto seus primos franceses.

Macaron de morango e creme

Preparar macarons pode parecer difícil, mas essa receita foi criada especialmente para fazê-los em casa.

20 UNID · 30 MIN · 18-20 MIN

Utensílios
2 assadeiras grandes
processador de alimentos
saco de confeitar com bico simples

Ingredientes
75 g de amêndoa moída
100 g de açúcar de confeiteiro
2 claras de ovos grandes em temperatura ambiente
75 g de açúcar cristal

Recheio
200 ml de creme de leite fresco
5-10 morangos grandes (se possível, do mesmo diâmetro dos macarons)

1 Preaqueça o forno a 150°C. Forre duas assadeiras com papel-manteiga.

2 Trace vinte círculos de 3 cm de diâmetro, deixando 3 cm entre eles. Vire o papel.

3 Processe as amêndoas com o açúcar de confeiteiro até obter uma mistura bem fina.

4 Bata as claras em neve até obter picos firmes.

5 Sempre batendo, acrescente o açúcar cristal, um pouco por vez.

6 Continue batendo até que o merengue fique bem espesso.

7 Com cuidado, misture as amêndoas ao merengue, uma colher de cada vez.

8 Transfira a massa para um saco de confeitar. Para facilitar, coloque o saco em um recipiente.

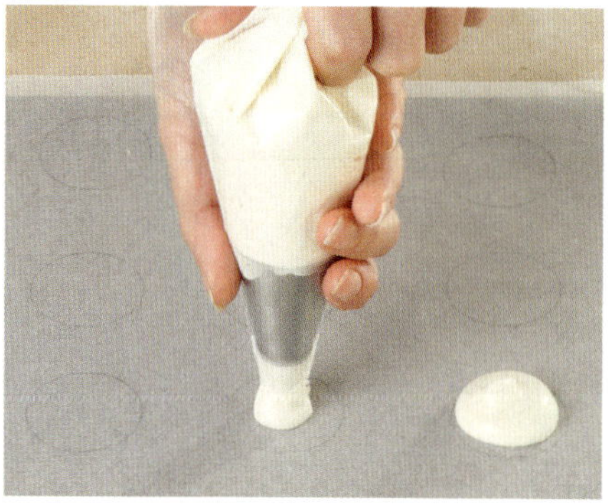

9 Aperte o saco na posição vertical no centro de cada círculo, formando discos.

10 Tente fazer discos do mesmo tamanho e volume; a massa espalhará um pouco.

11 Bata as assadeiras na superfície de apoio, se houver picos no centro dos discos.

12 Asse na parte central do forno por 18-20 minutos, até a superfície ficar firme.

13 Teste para saber se estão no ponto: ao pressionar com o dedo, devem quebrar.

14 Deixe descansar por 15-20 minutos e transfira para uma grade.

15 Bata o creme até ficar bem firme; se ficar mole, escorrerá e amolecerá os discos.

16 Transfira o creme para o saco de confeiteiro (limpo) e use o mesmo bico.

17 Distribua o creme batido sobre a superfície plana dos macarons.

18 Corte os morangos em rodelas finas; separe as do mesmo diâmetro dos macarons.

19 Coloque uma rodela de morango sobre o recheio de creme de cada macaron.

20 Cubra com os demais discos. O recheio deve escapar só um pouquinho. Sirva logo.

PREPARE ANTES Sem recheio, conservam-se em recipiente hermético por até 3 dias.

MACARON DE MORANGO E CREME

Variações de Macaron

Macaron de tangerina

Essa receita leva frutas mais cítricas em vez das tradicionais laranjas, para contrastar com a doçura dos merengues.

20 UNID | 30 MIN | 18-20 MIN

Utensílios
2 assadeiras grandes
processador de alimentos
saco de confeitar com bico simples

Ingredientes
100 g de açúcar de confeiteiro
75 g de amêndoa moída
1 colher (chá) de raspas de casca de tangerina
2 claras de ovos grandes em temperatura ambiente
75 g de açúcar cristal
3-4 gotas de corante alimentício laranja

Recheio
100 g de açúcar de confeiteiro
50 g de manteiga sem sal em temperatura ambiente
1 colher (sopa) de suco de tangerina
1 colher (chá) de raspas finas de casca de tangerina

Preparo

1 Preaqueça o forno a 150°C. Forre duas assadeiras com papel-manteiga. Desenhe nele círculos de 3 cm com um lápis, deixando 3 cm de distância entre cada um. Passe o açúcar de confeiteiro e as amêndoas no processador até ficarem bem misturados. Acrescente as raspas.

2 Bata as claras até obter picos firmes. Junte o açúcar cristal, um pouco por vez, batendo sempre depois de cada adição. Misture o corante.

3 Incorpore o creme à mistura de amêndoas, uma colher por vez. Transfira para o saco de confeitar. Segurando-o na vertical, coloque a mistura no centro de cada círculo.

4 Asse na parte central do forno por 18-20 minutos até a superfície ficar firme. Deixe esfriar no forno por 15-20 minutos e depois transfira para uma grade.

5 Recheio: misture os ingredientes até obter um creme. Coloque no saco de confeitar (limpo) com o mesmo bico. Coloque um pouco de recheio na superfície lisa do disco e forme um casadinho com os discos restantes. Sirva no mesmo dia.

PREPARE ANTES Sem recheio, conservam-se em recipiente hermético por até 3 dias.

Macaron de chocolate

Aqui, o recheio é um saboroso creme de chocolate meio amargo.

20 UNID | 30 MIN | 18-20 MIN

Utensílios
processador de alimentos
2 assadeiras grandes
saco de confeitar com bico simples

Ingredientes
50 g de amêndoa moída
25 g de cacau em pó
100 g de açúcar de confeiteiro
2 claras de ovos grandes em temperatura ambiente
75 g de açúcar cristal

Recheio
50 g de cacau em pó
150 g de açúcar de confeiteiro
50 g de manteiga sem sal derretida
3 colheres (sopa) de leite, mais um pouco se necessário

Preparo

1 Preaqueça o forno a 150°C. Forre as duas assadeiras com papel-manteiga. Desenhe nele círculos de 3 cm com lápis, deixando 3 cm entre cada um. Processe as amêndoas, o cacau e o açúcar de confeiteiro.

2 Bata as claras em neve. Adicione o açúcar cristal, batendo sempre, até obter picos firmes. Incorpore à mistura de amêndoas, um pouco por vez. Transfira para um saco de confeitar. Coloque o merengue no centro de cada círculo desenhado no papel.

3 Asse na parte central do forno por 18-20 minutos. Deixe esfriar por 15-20 minutos e transfira para uma grade.

4 Recheio: peneire juntos o cacau e o açúcar de confeiteiro. Adicione a manteiga e o leite e bata. Se necessário, acrescente um pouco mais de leite. Transfira para um saco de confeitar e coloque um pouco sobre a superfície plana dos discos. Feche com o outro. Sirva no mesmo dia ou amolecerão.

Macaron de framboesa

Além de belíssimos, esses casadinhos são deliciosos.

20 UNID | 30 MIN | 18-20 MIN

Utensílios
processador de alimentos
2 assadeiras grandes
saco de confeitar com bico simples

Ingredientes
100 g de açúcar de confeiteiro
75 g de amêndoa moída
2 claras de ovos grandes em temperatura ambiente
75 g de açúcar cristal
3-4 gotas de corante alimentício cor-de-rosa

Recheio
150 g de mascarpone
50 g de geleia de framboesa

Preparo

1 Preaqueça o forno a 150°C. Forre as duas assadeiras com papel-manteiga. Desenhe nele círculos com 3 cm de diâmetro, deixando 3 cm de distância entre cada um. Passe o açúcar de confeiteiro e as amêndoas no processador até ficarem com uma textura muito fina.

2 Bata as claras em neve. Aos poucos, adicione o açúcar cristal, batendo após cada adição. Incorpore o corante.

3 Adicione as claras à mistura de amêndoas, uma colher por vez, misturando bem. Transfira a mistura para o saco de confeitar. Segure o saco na vertical e coloque a mistura no centro de cada círculo desenhado no papel.

4 Asse na parte central do forno por 18-20 minutos, até a superfície ficar firme. Deixe esfriar nas assadeiras por 15-20 minutos e transfira para uma grade.

5 Recheio: bata o mascarpone e a geleia de framboesa até obter um creme macio. Transfira para o saco de confeitar (limpo) e use o mesmo bico. Coloque o recheio sobre a parte plana dos discos e feche com outro disco, formando um casadinho. Sirva no mesmo dia, caso contrário os macarons amolecerão.

PREPARE ANTES Sem recheio, os macarons podem ser armazenados por até 3 dias.

DICA DA AUTORA
A habilidade de fazer macarons se relaciona muito mais à técnica que à proporção dos ingredientes. Tratá-los com delicadeza, utilizar assadeiras sem bordas e manter o saco de confeiteiro na vertical ao formar os discos contribuem para obter macarons perfeitos.

Vanillekipferl

Costuma-se servir esses biscoitos alemães em forma de meia-lua com as Estrelas de canela (ver p. 151), compondo um prato verdadeiramente festivo.

30 UNID | 35 MIN | 15 MIN | 4 SEM

Tempo de refrigeração
30 min

Utensílios
assadeiras grandes

Ingredientes
- 200 g de farinha de trigo, mais um pouco para polvilhar
- 150 g de manteiga sem sal em temperatura ambiente cortada em pedaços
- 75 g de açúcar de confeiteiro
- 75 g de amêndoa moída
- 1 colher (chá) de extrato de baunilha
- 1 ovo batido
- açúcar de confeiteiro, para servir

Preparo

1 Peneire a farinha em uma tigela grande. Acrescente a manteiga e amasse até formar farelos finos. Adicione o açúcar de confeiteiro peneirado e as amêndoas moídas.

2 Junte a baunilha ao ovo batido e depois à mistura com farinha. Trabalhe os ingredientes com as mãos até obter uma massa. Se ficar muito grudenta, acrescente um pouco mais de farinha. Coloque a massa em um saco plástico e refrigere por pelo menos 30 minutos, até ficar firme.

3 Preaqueça o forno a 160°C. Divida a massa em duas partes e, sobre uma superfície polvilhada com farinha, faça um rolo com cerca de 3 cm de diâmetro. Use uma faca afiada para cortar pedaços de 1 cm de massa.

4 Para fazer os biscoitos, pegue um pedaço da massa e enrole-a com a mão para fazer o formato de uma salsicha de aproximadamente 8 cm x 2 cm, afilando um pouco as extremidades. Dobre cada extremidade ligeiramente na forma de uma meia-lua. Forre duas assadeiras com papel-manteiga e coloque os biscoitos, deixando um pequeno espaço entre cada um.

5 Asse os Vanillekipferl na parte superior do forno por 15 minutos, até que fiquem ligeiramente dourados. Não devem ficar escuros.

6 Deixe os biscoitos esfriarem nas assadeiras por 5 minutos e, então, polvilhe o açúcar aromatizado com baunilha ou o açúcar de confeiteiro. Coloque-os sobre uma grade.

GUARDE Os Vanillekipferl podem ser armazenados em recipiente hermético por até 5 dias.

DICA DA AUTORA

Esses biscoitos são uma tradição do Natal alemão. As amêndoas moídas proporcionam sabor e textura delicados. Muitas receitas recomendam passá-los no açúcar aromatizado com baunilha, mas, se for difícil encontrá-lo, adicione extrato de baunilha à massa para obter o mesmo sabor.

Florentine

Esses biscoitos italianos de frutas e nozes com chocolate meio amargo são maravilhosos para acompanhar um chá a qualquer hora.

16-20 UNID | 20 MIN | 10 MIN

Utensílios
assadeiras grandes

Ingredientes
60 g de manteiga
60 g de açúcar
1 colher (sopa) de mel
60 g de farinha de trigo peneirada
45 g de cascas de limão e laranja cristalizadas finamente picadas
45 g de cereja ou frutas cristalizadas finamente picadas
45 g de amêndoa escaldada finamente picada
1 colher (chá) de suco de limão-siciliano
1 colher (sopa) de creme de leite fresco
175 g de chocolate meio amargo de boa qualidade em pedacinhos

Preparo

1 Preaqueça o forno a 180°C e forre duas assadeiras com papel-manteiga.

2 Derreta a manteiga, o açúcar e o mel em fogo baixo. Deixe amornar e misture a todos os outros ingredientes, exceto o chocolate.

3 Com uma colher (sobremesa), ponha colheradas da mistura nas assadeiras. Deixe espaço para a massa se espalhar.

4 Asse por 10 minutos. Tenha cuidado para que as florentines não fiquem escuras. Deixe-as nas assadeiras por alguns minutos e depois coloque em uma grade.

5 Derreta os pedaços de chocolate em uma tigela refratária em banho-maria. Certifique-se de que a água não vai entrar na tigela.

6 Quando estiver derretido, distribua uma camada fina com uma espátula sobre a superfície de cada unidade. Antes de servir, espalhe uma segunda camada de chocolate sobre os biscoitos e faça uma onda com um garfo.

GUARDE As florentines podem ser armazenadas em recipiente hermético por 5 dias.

DICA DA AUTORA

As florentines podem ser apresentadas em cores diferentes. Cubra ⅓ com chocolate ao leite, ⅓ com chocolate branco e ⅓ com chocolate meio amargo. Ou use diferentes tons de chocolate na cobertura e espalhe formando um zigue-zague para criar um belo efeito.

FLORENTINE

Biscotti

Esses biscoitos de origem italiana são um belo presente: acondicione-os bem para que durem vários dias.

25-30 UNID | 15 MIN | 40-45 MIN | 8 SEM

Utensílios

assadeiras antiaderentes grandes

Ingredientes

50 g de manteiga sem sal
100 g de amêndoa inteira sem pele
225 g de farinha de trigo com fermento, mais um pouco para polvilhar
100 g de açúcar
2 ovos
1 colher (chá) de extrato de baunilha

1 Derreta a manteiga em uma panela pequena em fogo baixo. Deixe esfriar e reserve.

2 Preaqueça o forno a 180°C. Forre uma assadeira com papel-manteiga.

3 Espalhe as amêndoas em uma assadeira antiaderente. Coloque-a no centro do forno.

4 Asse as amêndoas por 5-10 minutos, até ficarem ligeiramente douradas.

5 Deixe esfriar e pique-as grosseiramente.

6 Peneire a farinha usando uma peneira fina em uma tigela grande.

7 Acrescente o açúcar e as amêndoas picadas e misture bem.

8 Em uma tigela separada, bata os ovos e a manteiga derretida.

9 Cuidadosamente, despeje a mistura de ovos sobre a farinha, mexendo com um garfo.

10 Misture os ingredientes até formar a massa.

11 Se ficar muito grudenta, acrescente um pouco mais de farinha.

12 Coloque a massa sobre uma superfície ligeiramente polvilhada com farinha.

13 Molde dois rolos com cerca de 20 cm cada um.

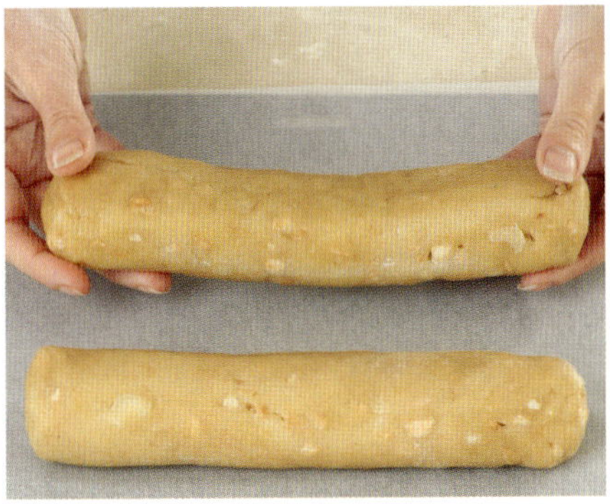

14 Coloque-os na assadeira e asse por 20 minutos na parte central do forno.

15 Retire do forno. Deixe esfriar um pouco e coloque em uma tábua de cortar.

16 Com uma faca de pão, corte os rolos em fatias de 3-5 cm de espessura.

17 Coloque as fatias na assadeira e volte ao forno por 10 minutos, para secarem mais.

18 Vire os biscotti com uma espátula e leve-os ao forno por mais 5 minutos.

19 Retire do forno e deixe esfriar sobre uma grade.

CONGELE Coloque na assadeira e congele. Transfira para sacos plásticos.

GUARDE Podem ser armazenados em sacos ou recipiente hermético por até 1 semana.

Variações de Biscotti

Biscotti de avelã e chocolate

Acrescente chips de chocolate para obter uma boa opção para crianças.

25-30 UNID | 15 MIN | 40-45 MIN | 8 SEM

Utensílios
assadeiras grandes

Ingredientes
100 g de avelã inteira sem pele
225 g de farinha de trigo com fermento peneirada, mais um pouco para polvilhar
100 g de açúcar
50 g de chips de chocolate meio amargo
2 ovos
1 colher (chá) de extrato de baunilha
50 g de manteiga sem sal derretida e fria

Preparo

1 Preaqueça o forno a 180°C. Forre uma assadeira com papel-manteiga. Asse as avelãs em outra sem untar por 5-10 minutos, mexendo de vez em quando até que dourem. Deixe esfriar, esfregue-as com um pano de prato para remover o excesso de pele e pique-as grosseiramente.

2 Misture a farinha, o açúcar, as avelãs e os chips de chocolate. Em outra tigela, bata os ovos, a baunilha e a manteiga. Misture bem para obter a massa. Se ficar grudenta, sove com um pouco mais de farinha.

3 Em uma superfície enfarinhada, faça dois rolos de 20 cm x 7 cm. Coloque-os na assadeira e asse por 20 minutos. Deixe esfriar um pouco e corte fatias grossas de 3-5 cm na diagonal com uma faca de pão.

4 Asse por mais 15 minutos, virando os biscotti depois de 10 minutos. Estarão prontos quando as bordas estiverem douradas e firmes ao toque. Deixe esfriar sobre uma grade.

GUARDE Os biscotti podem ser armazenados em recipiente hermético por mais de 1 semana.

Biscotti de chocolate e castanha

Com castanhas-do-pará e escurecidos pelo cacau em pó, são ideais com café forte, após o jantar.

25-30 UNID | 15 MIN | 40-45 MIN | 8 SEM

Utensílios
assadeiras grandes

Ingredientes
100 g de castanha-do-pará inteira
175 g de farinha de trigo com fermento peneirada, um pouco mais para polvilhar
50 g de cacau em pó
100 g de açúcar
2 ovos
1 colher (chá) de extrato de baunilha
50 g manteiga sem sal derretida e fria

Preparo

1 Preaqueça o forno a 180°C. Prepare uma assadeira com papel-manteiga. Asse as castanhas em outra, sem untar, por 5-10 minutos. Deixe amornar, esfregue-as com um pano de prato para remover o excesso de pele e pique-as grosseiramente.

2 Misture a farinha, o cacau em pó, o açúcar e as castanhas. Em separado, bata os ovos, a baunilha e a manteiga. Misture todos os ingredientes para obter a massa.

3 Enfarinhe uma superfície. Faça dois rolos de 20 cm x 7 cm. Coloque-os na assadeira e asse por 20 minutos. Deixe esfriar um pouco e corte fatias grossas de 3-5 cm na diagonal com uma faca de pão.

4 Retorne os biscotti ao forno por 15 minutos, virando-os após 10 minutos, até que fiquem dourados e duros ao toque.

GUARDE Os biscotti podem ser armazenados em recipiente hermético por mais de 1 semana.

DICA DA AUTORA

A textura dura e crocante dos biscotti é obtida pelas duas passagens pelo forno. A técnica também permite que eles se conservem por mais tempo.

Biscotti de pistache e laranja

Perfumados, ficam deliciosos servidos com café ou mergulhados em um copo de vinho doce. ►

25-30 UNID | 15 MIN | 40-45 MIN | 8 SEM

Utensílios
assadeiras grandes

Ingredientes
100 g de pistache inteiro sem casca
225 g de farinha de trigo com fermento, mais um pouco para polvilhar
100 g de açúcar
raspas finas de 1 laranja
2 ovos
1 colher (chá) de extrato de baunilha
50 g de manteiga sem sal derretida e fria

Preparo

1 Forre uma assadeira com papel-manteiga. Asse os pistaches em outra, sem untar, por 5-10 minutos. Deixe esfriar, esfregue com um pano de prato para remover o excesso de pele e pique-os grosseiramente.

2 Combine a farinha, o açúcar, as raspas e os pistaches. Em separado, bata os ovos, a baunilha e a manteiga. Misture todos os ingredientes para formar a massa.

3 Enfarinhe uma superfície. Faça dois rolos de 20 cm x 7 cm. Coloque-os na assadeira e asse por 20 minutos. Deixe esfriar um pouco e corte fatias grossas de 3-5 cm na diagonal com uma faca de pão.

4 Asse por mais 15 minutos, virando os biscotti depois de 10 minutos, até que dourem e fiquem duros ao toque. Coloque-os sobre uma grade.

GUARDE Podem ser armazenados em recipiente hermético por mais de 1 semana.

Shortbread

Esse clássico escocês deve dourar muito pouco; cubra-o com papel-alumínio se estiver corando rápido demais.

8 UNID | 15 MIN | 30-40 MIN

Tempo de refrigeração
1h

Utensílio
1 fôrma redonda de 18 cm e fundo removível

Ingredientes
150 g de manteiga sem sal em temperatura ambiente, mais um pouco para untar
75 g de açúcar, mais um pouco para polvilhar
175 g de farinha de trigo
50 g de maisena

1 Preaqueça o forno a 160°C. Unte a fôrma e forre fundo e laterais com papel-manteiga.

2 Coloque a manteiga em temperatura ambiente e o açúcar em uma tigela.

3 Bata os dois ingredientes até obter um creme leve e fofo.

4 Adicione a farinha e a maisena e misture bem.

5 Amasse bem até formar uma massa com grumos e transfira para a fôrma.

6 Pressione firmemente a massa, formando uma camada uniforme e compacta.

7 Com uma faca afiada, marque a massa, dividindo-a em oito partes.

8 Fure-a com um garfo, compondo um padrão decorativo.

9 Cubra o shortbread com filme de PVC e deixe na geladeira por 1 hora.

10 Asse por 30-40 minutos. Se dourar muito rápido, cubra com papel-alumínio.

11 Retire do forno e marque novamente a massa, dividindo-a em oito partes.

12 Enquanto estiver morno, polvilhe uma fina camada de açúcar de confeiteiro.

13 Quando estiver completamente frio, retire o shortbread da fôrma e quebre ou corte nas linhas marcadas.

GUARDE O shortbread pode ser armazenado em recipiente hermético por até 5 dias.

Variações de Shortbread

Sandie de nozes-pecãs

Esses biscoitos se chamam assim por causa da textura (mas não pelo sabor!) de areia fina.

18-20 UNID | 15 MIN | 15 MIN

Tempo de refrigeração
30 min (se necessário)

Utensílios
assadeiras grandes

Ingredientes
100 g de manteiga sem sal em temperatura ambiente
50 g de açúcar demerara
50 g de açúcar
½ colher (chá) de extrato de baunilha
1 gema
150 g de farinha de trigo peneirada, mais um pouco para polvilhar
75 g de pecãs picadas

Preparo

1 Preaqueça o forno a 180°C. Bata a manteiga e os dois tipos de açúcar na batedeira até formar um creme leve e fofo. Adicione o extrato de baunilha e a gema e misture bem. Acrescente a farinha e depois as pecãs. Amasse tudo muito bem.

2 Coloque a massa sobre uma superfície enfarinhada e sove até ficar macia. Faça um rolo de 6 cm de diâmetro. Se a massa estiver macia demais, coloque-a na geladeira por 30 minutos, para firmar.

3 Corte discos de 1 cm e coloque em duas assadeiras forradas com papel-manteiga, deixando um espaço entre eles. Asse até as bordas dourarem. Deixe nas formas por alguns minutos e depois coloque em uma grade.

GUARDE Os sandies podem ser armazenados em recipiente hermético por até 5 dias.

Cookie de shortbread com chips de chocolate

O chocolate faz com que esses cookies sejam ótimos para crianças.

14-16 UNID | 15 MIN | 15-20 MIN

Utensílios
2 assadeiras antiaderentes grandes

Ingredientes
100 g de manteiga sem sal em temperatura ambiente
75 g de açúcar
100 g de farinha de trigo peneirada, mais um pouco para polvilhar
25 g de maisena peneirada
50 g de chips de chocolate meio amargo

Preparo

1 Preaqueça o forno a 170°C. Bata a manteiga e o açúcar na batedeira, formando um creme leve e fofo. Incorpore a farinha, a maisena e os chips de chocolate e amasse bem.

2 Coloque a massa sobre uma superfície enfarinhada e sove com delicadeza até ficar macia. Faça um rolo de 6 cm de diâmetro e corte fatias de 5 mm para fazer os biscoitos. Distribua as fatias em duas assadeiras antiaderentes, mantendo espaço entre elas.

3 Asse por 15-20 minutos até os biscoitos ficarem levemente dourados. Tenha cuidado para que não fiquem muito escuros. Deixe-os descansar nas assadeiras por alguns minutos e transfira para uma grade.

GUARDE Esses biscoitos podem ser armazenados em recipiente hermético por até 5 dias.

Marbled millionaire's shortbread

Um clássico moderno – extremamente doce e saboroso.

16 UNID | 45 MIN | 35-40 MIN

Utensílio
1 fôrma quadrada de 20 cm

Ingredientes
200 g de farinha de trigo
175 g de manteiga sem sal em temperatura ambiente, mais um pouco para untar
100 g de açúcar

Recheio de caramelo
50 g de manteiga sem sal
50 g de açúcar demerara
400 g de leite condensado

Cobertura de chocolate
200 g de chocolate ao leite
25 g de manteiga sem sal
50 g de chocolate meio amargo

Preparo

1 Preaqueça o forno a 160°C. Coloque a farinha, a manteiga e o açúcar em uma tigela e amasse até obter farelos. Unte a fôrma e forre com papel-manteiga. Despeje a mistura na fôrma e pressione até ficar compacta e uniforme. Asse por 35-40 minutos, até dourar. Deixe esfriar.

2 Recheio: derreta a manteiga e o açúcar em uma panela em fogo médio. Adicione o leite condensado e deixe ferver, mexendo sempre. Abaixe o fogo e cozinhe por 5 minutos sem parar de mexer, até engrossar e ficar cor de caramelo claro. Coloque sobre a massa e deixe esfriar.

3 Cobertura: derreta o chocolate ao leite e a manteiga em banho-maria, mexendo até ficar cremoso. Também em banho-maria, mas sem a manteiga, derreta o chocolate meio amargo.

4 Despeje o chocolate ao leite sobre o caramelo e espalhe. Despeje em seguida o chocolate meio amargo sobre o chocolate ao leite, misturando os dois com um espeto de madeira para obter um efeito zigue--zague e marmorizado. Deixe esfriar e endurecer antes de cortar em quadrados.

GUARDE Esse shortbread pode ser armazenado em recipiente hermético por até 5 dias.

DICA DA AUTORA

Há dois desafios aqui: fazer uma cobertura de chocolate que seja fácil de cortar e impedir que o caramelo escorra pelas laterais ao fazê-lo. Acrescentar manteiga ao chocolate ao leite para que fique mais macio e cozinhar o caramelo no ponto certo são os segredos para um resultado perfeito.

Flapjack

Essas barrinhas, preparadas com poucos e ricos ingredientes, são uma grande fonte de energia.

16-20 UNID | 15 MIN | 40 MIN

Utensílio
1 fôrma quadrada de 25 cm

Ingredientes
225 g de manteiga, mais um pouco para untar
225 g de açúcar demerara
2 colheres (sopa) de glicose de milho
350 g de flocos de aveia

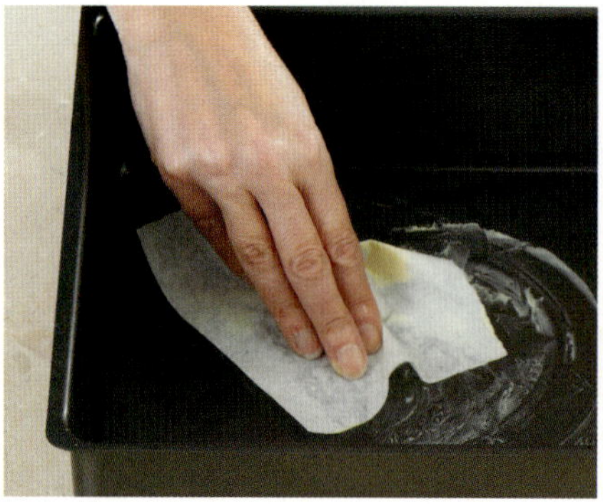

1 Preaqueça o forno a 150°C. Unte ligeiramente a base e as laterais da fôrma.

2 Coloque a manteiga, o açúcar e a glicose em uma panela em fogo baixo.

3 Mexa constantemente com uma colher de pau para evitar que queime. Retire do fogo.

4 Adicione os flocos de aveia e misture sem mexer demais.

5 Coloque a mistura de aveia na fôrma preparada.

6 Pressione a massa com uma colher de pau para distribuí-la uniformemente.

7 Passe uma colher molhada em água morna e nivele a superfície.

8 Asse por 40 minutos ou até dourar; mude a posição da fôrma no forno se necessário.

9 Deixe esfriar por 10 minutos e depois corte em pedaços iguais usando uma faca afiada.

FLAPJACK

10 Deixe na fôrma até esfriar completamente. Com o auxílio de uma espátula, retire os flapjacks da fôrma.
GUARDE Os flapjacks podem ser armazenados em recipiente hermético por até 1 semana.

Variações de Flapjack

Flapjack de avelã e uva-passa

Os ingredientes extras tornam essa receita ainda mais saudável.

16-20 UNID | 15 MIN | 30 MIN | 4 SEM

Utensílio
1 fôrma de 20 cm x 25 cm

Ingredientes
225 g de manteiga sem sal, mais um pouco para untar
225 g de açúcar demerara
2 colheres (sopa) de glicose de milho
350 g de flocos de aveia
75 g de avelã picada
50 g de uva-passa

Preparo

1 Preaqueça o forno a 160°C. Unte a fôrma e cubra a base e as laterais com papel-manteiga. Derreta a manteiga, o açúcar e a glicose em uma panela em fogo baixo. Retire a panela do fogo e misture a aveia, as avelãs e as uvas-passas.

2 Transfira a mistura para a fôrma preparada e pressione para compactar e nivelar a superfície. Asse por 30 minutos até que doure bem e as bordas escureçam ligeiramente.

3 Deixe na fôrma por 5 minutos e depois corte os flapjacks em quadrados com uma faca afiada. Deixe esfriar completamente antes de retirar os pedaços usando uma espátula.

GUARDE Os flapjacks podem ser armazenados em recipiente hermético por até 1 semana.

DICA DA AUTORA

As nozes, castanhas e uvas-passas tornam a receita mais saudável, e é possível acrescentar um punhado de sementes de abóbora ou de girassol. Apesar disso, a manteiga faz com que os flapjacks sejam um alimento com alto teor de gorduras.

Flapjack de cereja

Use cerejas cristalizadas como alternativa às frutas secas mais comuns, como uvas-passas brancas e pretas. ▶

18 UNID | 15 MIN | 25 MIN

Tempo de refrigeração
10 min

Utensílio
1 fôrma quadrada de 20 cm

Ingredientes
150 g de manteiga sem sal, mais um pouco para untar
75 g de açúcar demerara
2 colheres (sopa) de glicose de milho
350 g de flocos de aveia
125 g de cereja glaceada cortada em 4 ou 75 g de cereja seca picada grosseiramente
50 g de uva-passa
100 g de chocolate branco ou ao leite em pedaços

Preparo

1 Preaqueça o forno a 180°C. Unte levemente a fôrma. Coloque a manteiga, o açúcar e a glicose em uma panela média em fogo baixo e mexa até derreter. Retire a panela do fogo, acrescente a aveia, as cerejas e as uvas-passas e misture bem.

2 Transfira para a fôrma preparada e pressione para nivelar. Asse por 25 minutos. Deixe esfriar na fôrma e corte em dezoito pedaços com uma faca afiada.

3 Derreta o chocolate em banho-maria. Salpique o chocolate derretido nos flapjacks usando uma colher (chá), depois leve à geladeira por 10 minutos ou até que o chocolate endureça. Retire-os da assadeira com uma espátula.

GUARDE Os flapjacks podem ser armazenados em recipiente hermético por até 1 semana.

Flapjack de tâmara

As tâmaras dão um sabor de bala de caramelo e uma consistência maravilhosa a essas barrinhas.

16 UNID | 25 MIN | 40 MIN

Utensílio
1 fôrma quadrada de 20 cm

Ingredientes
200 g de tâmara picada
½ colher (chá) de bicarbonato de sódio
200 g de manteiga sem sal
200 g de açúcar demerara
2 colheres (sopa) de glicose de milho
300 g de flocos de aveia

Preparo

1 Preaqueça o forno a 160°C. Forre uma assadeira com papel-manteiga. Coloque as tâmaras e o bicarbonato em uma panela com água suficiente para cobri-las e ferva por 5 minutos. Escorra as tâmaras e reserve o caldo. Bata no liquidificador com 3 colheres (sopa) do próprio líquido. Reserve.

2 Derreta a manteiga, o açúcar e a glicose em uma panela, mexendo sempre. Retire a panela do fogo e misture a aveia. Transfira metade da mistura para a fôrma preparada e pressione para nivelar.

3 Espalhe o purê de tâmaras por cima da aveia e cubra com o restante da massa. Asse até dourar. Deixe esfriar na fôrma e corte com uma faca em dezesseis quadrados. Deixe esfriar completamente antes de retirá-los com uma espátula.

GUARDE Os flapjacks conservam-se em recipiente hermético por até 1 semana.

Brownie de chocolate e avelã

Uma clássica receita norte-americana, os brownies são úmidos e cremosos no centro e crocantes na cobertura.

24 UNID | 25 MIN | 12-15 MIN

Utensílios
1 assadeira grande
1 fôrma de 23 cm x 30 cm

Ingredientes
100 g de avelã
175 g de manteiga sem sal cortada em pedaços
30 g de chocolate meio amargo em pedaços
300 g de açúcar
4 ovos grandes batidos
200 g de farinha de trigo
25 g de cacau em pó, mais um pouco para polvilhar

1 Preaqueça o forno a 200°C. Espalhe as avelãs sobre uma assadeira.

2 Toste-as no forno por 5 minutos até que fiquem escuras, mas não queimadas.

3 Retire as avelãs do forno e esfregue-as com um pano de prato para remover a pele.

4 Pique-as grosseiramente em pedaços grandes e pequenos. Reserve.

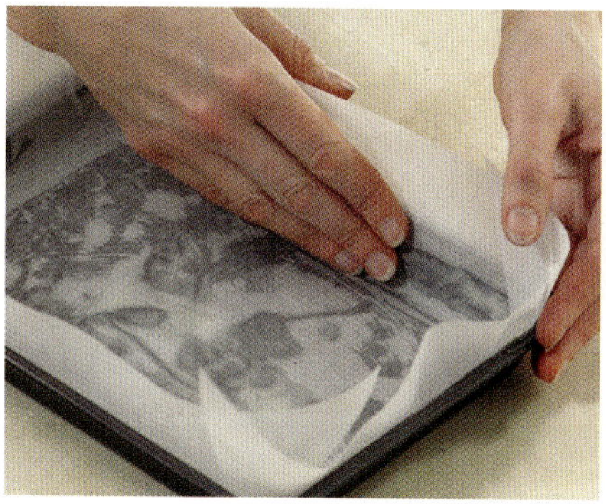

5 Forre com papel-manteiga a base e as laterais da fôrma, deixando sobrar.

6 Coloque a manteiga e o chocolate em uma tigela em banho-maria.

7 Derreta a manteiga e o chocolate, mexendo bem até a mistura ficar cremosa. Deixe esfriar.

8 Quando a mistura esfriar, incorpore o açúcar.

9 Aos poucos, acrescente os ovos batidos, misturando bem a cada adição.

10 Peneire a farinha e o cacau, levantando a peneira sobre a tigela para incorporar ar.

11 Misture tudo até o creme ficar homogêneo, sem grumos de farinha.

12 Acrescente as avelãs e misture-as na massa, que deve ficar bem pastosa.

13 Coloque a massa na fôrma e nivele-a para ocupar toda a fôrma.

14 Asse por 12-15 minutos ou até ficar firme ao toque; quando pressionada, deve afundar.

15 Ou, ao inserir um espeto de metal, ele deve sair limpo. Retire o brownie do forno.

16 Deixe esfriar completamente na fôrma para manter o centro cremoso.

17 Levante o bolo pelas bordas do papel--manteiga e coloque sobre uma superfície.

18 Use uma faca longa e com serra para marcar 24 pedaços.

19 Ferva água e coloque em uma tigela. A cada corte, umedeça e seque a faca.

20 Corte os 24 pedaços. Polvilhe o cacau em pó.

GUARDE Os brownies podem ser conservados em recipiente hermético por até 3 dias.

Variações de Brownie

Brownie de ginja e chocolate

O sabor forte e a consistência das ginjas secas contrastam maravilhosamente com o sabor intenso do chocolate meio amargo.

16 UNID | 15 MIN | 20-25 MIN

Utensílio
1 fôrma de 20 cm x 25 cm

Ingredientes
150 g de manteiga sem sal em pedaços, mais um pouco para untar
150 g de chocolate meio amargo em pedaços pequenos
250 g de açúcar mascavo
3 ovos
1 colher (chá) de extrato de baunilha
150 g de farinha de trigo com fermento peneirada
100 g de ginja seca ou cereja cristalizada
100 g de chocolate meio amargo em pedaços grandes

Preparo

1 Preaqueça o forno a 180°C. Unte a fôrma e forre com papel-manteiga. Derreta a manteiga e os pedaços pequenos de chocolate em banho-maria. Tire do fogo, acrescente o açúcar e mexa para misturar bem os ingredientes. Deixe esfriar.

2 Misture os ovos e a baunilha ao creme de chocolate. Junte essa mistura à farinha e mexa com cuidado, sem exagerar. Junte as ginjas ou as cerejas e os pedaços grandes de chocolate.

3 Coloque a massa na fôrma e asse por 20-25 minutos. Estará pronto quando as bordas ficarem firmes, e o centro, macio.

4 Deixe o brownie esfriar na fôrma por 5 minutos. Desenforme e corte em dezesseis quadrados. Coloque os brownies sobre uma grade.

GUARDE Os brownies podem ser armazenados em recipiente hermético por até 3 dias.

DICA DA AUTORA
A textura ideal do brownie é uma questão de gosto. Alguns o preferem cremoso a ponto de desmanchar; outros, com consistência mais firme. Se quiser a primeira opção, basta deixar no forno por menos tempo.

Brownie de chocolate branco e nozes

Levemente cremoso no centro, é uma tentação no chá da tarde.

16 UNID | 10 MIN | 1H15

Utensílio
1 fôrma quadrada de 20 cm

Ingredientes
25 g de manteiga sem sal em pedaços, mais um pouco para untar
50 g de chocolate meio amargo em pedaços
3 ovos
1 colher (sopa) de mel
225 g de açúcar demerara
75 g de farinha de trigo com fermento
175 g de nozes picadas
25 g de chocolate branco em pedaços

Preparo

1 Preaqueça o forno a 160°C. Unte a fôrma e forre com papel-manteiga.

2 Derreta a manteiga e o chocolate meio amargo em banho-maria, mexendo de vez em quando para misturar bem. Retire a tigela da panela e deixe esfriar ligeiramente.

3 Bata os ovos, o mel e o açúcar, e, aos poucos, incorpore o chocolate derretido. Peneire a farinha, acrescente as nozes e o chocolate branco e misture todos os ingredientes delicadamente. Coloque a mistura na fôrma.

4 Asse no forno por 30 minutos. Cubra com papel-alumínio sem apertar muito e asse por mais 45 minutos. O centro deve ficar cremoso. Deixe o brownie esfriar totalmente na fôrma ou em uma grade. Quando estiver frio, coloque em uma superfície dura e corte em dezesseis quadrados.

GUARDE Os brownies conservam-se em recipiente hermético por até 5 dias.

Blondie de chocolate branco e macadâmia

Uma versão clarinha do sempre popular brownie.

24 UNID | 15 MIN | 20 MIN

Utensílio
1 fôrma de 20 cm x 25 cm

Ingredientes
300 g de chocolate branco em pedaços
175 g de manteiga sem sal cortada em pedaços
300 g de açúcar
4 ovos grandes
225 g de farinha de trigo
100 g de macadâmia picada grosseiramente

Preparo

1 Preaqueça o forno a 200°C. Forre a base e as laterais da fôrma com papel-manteiga. Derreta o chocolate branco e a manteiga em banho-maria, mexendo de vez em quando até a mistura ficar cremosa. Retire do fogo e deixe esfriar por 20 minutos.

2 Junte o açúcar ao chocolate derretido (a mistura pode ficar espessa e granulosa, mas os ovos vão deixá-la mais cremosa). Bata os ovos. Junte um pouco de cada vez e só adicione mais quando a mistura ficar bem homogênea. Incorpore delicadamente a farinha peneirada e, por fim, as macadâmias.

3 Coloque a massa na fôrma e nivele-a para distribuí-la uniformemente. Asse por 20 minutos ou até ficar firme ao toque. Corte em 24 pedaços ou em alguns retângulos, se preferir blondies maiores.

GUARDE Os blondies podem ser armazenados em recipiente hermético por até 5 dias.

Índice

As entradas de página em **negrito** indicam as receitas passo a passo. As entradas de página em *itálico* indicam as Dicas da Autora.

D

E

F

Sobre a autora

Após fazer carreira internacional como modelo, Caroline Bretherton se entregou ao seu amor pela gastronomia, fundando a própria empresa de catering, a Manna Food, em 1996.

Sua cozinha fresca, leve e sofisticada tem um estilo próprio, que conquistou diversos clientes entre celebridades, galerias de arte, cinemas e revistas de moda, além de desenvolver projetos inovadores. Mais tarde, expandiu os negócios ao abrir o Manna Café na Portobello Road, no coração de Notting Hill, em Londres.

Nos últimos anos, passou a atuar como convidada e apresentadora de diversos programas de televisão sobre culinária.

Mais recentemente, Caroline tem se empenhado em escrever. É colaboradora regular do *The Times on Saturday* e publicou *Sabores da horta* (Publifolha), seu primeiro livro.

Nas horas livres, Caroline cultiva uma grande variedade de frutas, verduras e ervas perto de sua casa, em Londres. Sempre que pode, dedica-se à sua paixão pela coleta de ingredientes silvestres, como frutos e cogumelos, tanto no campo como na cidade.

Tem dois filhos, Gabriel e Isaac, que ficaram muito felizes em experimentar todas as receitas deste livro.

Agradecimentos

A autora gostaria de agradecer
a Mary-Clare, Dawn e Alastair da Dorling Kindersley por seu apoio e incentivo nessa imensa tarefa, assim como o trabalho de Borra Garson e a todos da Deborah McKenna por sua dedicação. Por último, gostaria de agradecer a minha família e amigos pelo enorme incentivo e grande apetite!

A Dorling Kindersley gostaria de agradecer
às seguintes pessoas por seu trabalho na sessão fotográfica:

Diretores de arte
Nicky Collings, Miranda Harvey, Luis Peral e Lisa Pettibone

Produtor de adereços
Wei Tang

Produtores culinários
Kate Blinman, Lauren Owen e Denise Smart

Assistente de economia doméstica
Emily Jonzen

O equipamento utilizado nas fotografias passo a passo foi gentilmente cedido pela Lakeland (www.lakeland.co.uk).

Caroline de Souza pela direção de arte das fotos.

Dorothy Kikon pela assistência editorial e Anamica Roy pela assistência em design.

Jane Ellis pela revisão de texto e Susan Bosanko pelo índice.

Agradecemos às seguintes pessoas pelo seu trabalho na edição norte-americana:

Consultora
Kate Curnes

Adaptação para os Estados Unidos
Nichole Morford e Jenny Siklós

Agradecemos também a Steve Crozier pela revisão final do livro.